KB137656

되기와 향유의 문학

되기와 향유의 문학

Literature of Becoming and Jouissance

| 조애리 지음 |

도서출판 동인

차 례

글을 시작하며

이 책은 되기와 향유의 관점에서 영미문학을 분석한 것이다. 여기서 되기는 들뢰즈Gilles Deleuze의 개념이며 향유는 라캉Jacques Lacan의 주이상스와 아감벤Giorgio Agamben의 향유를 가리킨다. 분석 대상이 된 작품은 영미 시와 소설을 아우르고 있으며 여성-되기와 소수자-되기에 대해서는 별도의 이론적인 분석을 하고 있다.

우선 들뢰즈의 되기에 대해 알아보자. 들뢰즈는 기존의 존재being에서 되기becoming로 정체성의 축을 옮긴다. 되기는 단순히 하나의 존재에서 다른 존재로 변화하는 것이 아니라 견고한 정체성을 탈주하여 새로운 존재가 되는 것이다. 견고한 정체성은 수목형 구조 속에 배치된 정체성을 가리킨다. 수목형 구조는 백인 남성이 피라미드의 정점에 있는 위계적인 체계로, 여성, 아이, 유색인, 동물은 모두 하위에 속하며 하위 항의 주체는 상위 체계가 정해 준 직무만을 수행한다. 되기는 이런 수목형 구조에 배치된 견고한 정체성으로부터 새로운 탈주선을 형성할 때 가능해진다.

탈주선은 몰적 선이나 분자적 선과 구분된다. 몰적 선은 견고한 분할선으로 그 선이 둘러싼 영토는 영원히 파괴되지 않을 것처럼 보인다. 그러나 견고한 몰적 선을 뚫고 나오려는 유동적인 분자적 선이 존재한다. "유연한 분할선 또는 분자적 분할선인데, 여기서 절편은 탈영토화하는 양자가 된다"(Deleuze and Guattari 196). 이 분자적 선이 균열을 가져온다면 탈주선은 절대적인 탈영토화, 즉 기존의 영토와는 완전한 단절을 의미한다. 탈주선을 생성하는 개인은 "탈주선을 따른다기보다 오히려 탈주선을 만들어 내며 그 자체가 살아있는 무기"(Deleuze and Guattari 204)가 된다.

되기는 탈주선으로 가능해지며, 본성상 소수자-되기다. "되기는 소수적이며 모든 되기는 소수자-되기이다"(Deleuze and Guattari 291). 다시 말해, 되기는 다수의 지배로부터 탈주하는 것이므로 소수자-되기가 될 수밖에 없다. 보그의 지적대로 들뢰즈는 "성인/아이, 백인/유색인, 이성애/동성애, 남성/여성의 권력관계를 해석해 내는데, 각 대립항의 지배적인 항목이 기준이 되고 기준으로부터 탈주한다"(Bogue 2007, 22). 바로 이 탈주가 소수자-되기다.

여성-되기는 소수자-되기의 가장 극명한 예이다. 이때 여성은 생물학적인 여성을 지칭하는 것은 아니다. 우리가 아는 경험적인 차원의 여성, 즉 이항대립 속에 배치된 몰적 여성이 아니다. 여성-되기는 오히려 기존의 가부장적 구조 속에 배치된 몰적 여성에서 탈주하여 분자적 여성이 되는 것을 뜻한다. 즉, "미시-여성성의 근방역으로 들어가는 입자들을 방출하는 것, 말하자면 우리 자신 안에서 분자적인 여성을 생산하고 창조하는 것이다"(Deleuze and Guattari 275).

되기는 개인적인 차원에서 끝나지 않는다. 탈주의 결과는 리좀의 생성이다. 리좀은 뭉친 뿌리가지 혹은 쥐 떼와 같은 무리를 가리킨다. 이것은 위계적 질서인 수목형 구조와는 대조되게 수평적으로 모든 방향으로 뻗어나간다. "리좀의 어떤 지점이건 다른 어떤 지점과 연결 접속될 수 있고 또 연결 접속되어야만 한다"(Deleuze and Guattari 7). 리좀의 두 번째 특징은 접속의 순간 변화하는 것이다. 다양체인 리좀은 "다른 다양체들과 연결 접속하면서 본성상의 변화를 겪는다"(Deleuze and Guattari 9). 이러한 리좀은 되기가 단순히 개인적인 변화에 그치는 것이 아니라 혁명의 잠재성을 지닌 것임을 보여준다. 리좀은 국가장치라는 홈 패인 길을 휩쓸어 버리고 매끈한 공간인 유목적 공간을 창조한다. 유목적 공간은 국가장치에 포획되기도 하지만 그렇더라도 새로운 되기와 리좀의 생성으로 끊임없이 새로운 유목적 공간을 창조한다.

이 책에서 말하는 향유의 핵심을 이루는 라캉의 주이상스를 이해하기 위해서 우선 상징계와 실재를 살펴보자. 라캉은 심리에 대해 상상계, 상징계, 실재를 설정하고 이 세 차원이 보로매우스 매듭Borromean Knot처럼 겹쳐서 나타난다고 한다. 상징계는 언어에서 법까지 광범위한 체계를 가리키며 주체로서 우리는 이름, 젠더, 인종, 사회적 지위 등으로 상징계에 등록되어 있다. 그러나 상징계는 완벽하지 않고 우리의 존재를 모두 설명해주지 못하며 이러한 상징계의 공백이나 결여 혹은 잉여를 설명해주는 것이 실재다.

후기 라캉의 관심은 상징계에서 실재로 옮아간다. 그는 상징계에 초점을 맞춘 증상 분석에서 출발했지만 후기에 이르면서 실재의 증환 분석에 집중한다. 그의 관심은 "암호화된 메시지인 증상에서 … 향락이 스며든 글자인 증환으로 옮아간다. 증환은 본질적으로 … 모든 상징화를 거부하는 환원 불가능한 주이상스의 중핵이다"(Zizek 1999, 13). 이때 주이상스는 복잡한 개념이다. 그것은 "성적 흥분의 충만을 내포한 쾌락"(마이어스 162)이지만 동시에 "쾌락과 고통의 결합, 또는 더욱 정확하게 고통 속의 쾌락"(호머 167)이다.

여성적 주이상스에 대해 라캉은 천사가 성 테레사에게 화살을 쏘는 순간 그녀가 황홀경에 빠져있는 모습을 보여준 베르니니Lorenzo Bernini의 조각인 <성 테레사의 황홀The Ecstasy of Saint Teresa>을 예로 들어 설명한다. 테레사의 자서전에 의하면 "고통이 너무 심해서 나는 몇 번 신음했다. 그러나 강렬한 고통으로 인한 달콤함이 너무 강렬해서 그것이 멈추길 바랄 수 없었다"(Nobus 39)라고 한다. 테레사는 고통이며 동시에 쾌락인 여성적 주이상스를 구체적으로 보여주는데 이 황홀경은 언어의 영역 밖에 있다. 주이상스는 언어처럼 구조화된 무의식이 아니라 상징화를 거부하는 충동이다.

아감벤의 향유가 라캉과 다른 것은 시간에 초점을 맞추는 점이다. 그것은 연대기적 흐름 밖에 있는 중단의 순간, 즉 카이로스의 시간에 가능한 것이다. "연속적인 선적 시간의 노예가 아니고 시간으로부터 해방될 때 … 불연속이며 충만한 유한하고 완벽한 향유의 시간"(Agamben 1993, 104)을 누릴 수 있는 것이다. 이때 향유는 라캉의 주이상스처럼 성적 쾌락과 연관된 것은 아니다. 그것은 태초에 우리가 느꼈던 행복감을 가리킨다. 그러나 이 향유도 라캉의 주이상스와 마찬가지로 언어로 설명할 수 없는 것이다. "인간의 말은 한정되어 있어 단어 속에는 말해지지 않은 것이 담겨 있다. … 말해진 모든 것은 무한한 해석이 가능한 말해지지 않은 것 안에 자리매김되어야 한다"(Agamben 1999, 56).

1부 <여성-되기와 문학>은 우선 1장에서 들뢰즈의 되기의 핵심을 잘 보여주는 여성-되기의 개념을 검토하고 그것의 혁명적 잠재성을 부각시켰다. 2장에서는 하디의 여주인공 테스의 여성-되기 양상과 아울러 여성-되기가 어떻게 법을 넘어서서 새로운 유목적 공간을 창조하는지 살펴보았다. 에밀리 디킨슨의 시를 검토한 3장에서는 몰적 선, 분자적 선, 탈주선이 어떻게 그녀의 시에 나타나는지 검토했다.

2부 <여성과 향유>는 라캉이 말하는 여성적 주이상스에 초점을 맞추어 4장에서 길먼의 「노란 벽지」, 5장에서 포크너의 「에밀리를 위한 장미」를 분석했다. 이 두 작품의 여주인공이 보여준 여성적 주이상스는 황홀하며 동시에 고통스러운 것으로 제시되고 있다. 6장 디킨슨의 시 분석에서는 아감벤의 관점에서 카이로스 시간과 그 시간에 만나는 향유가 어떻게 나타나는지 분석했다.

3부 <소수자-되기와 문학>은 7장에서 소수자-되기의 개념을 문학과 연관 지어 이해하는 것으로 출발했다. 8장에서는 플라스의 시에서 동물-되기, 식물-되기, 여성-되기를 중심으로 소수자-되기가 어떤 양상으로 나타나는지 살폈으며, 9장에서는 소수자-되기가 어떻게 리좀의 생성에 이르는지 검토했다. 휘트먼의 분석에서는 자아의 탐색인 「나의 노래」가 노예-되기와 다양한 소수자-되기를 통해 궁극적으로 해방적인 리좀적 공동체에 이르는 것을 분석했다.

이 책은 20년 넘게 함께 들뢰즈, 라캉, 아감벤을 읽은 문학이론독회가 없었으면 불가능했을 것이다. 박종성, 이혜원, 윤교찬, 강문순, 최인환 교수님께 감사한다. 특히 이 책의 일부 장들에 공저자로 함께한 김진옥, 유정화 교수님께 특별히 감사의 마음을 보낸다.

■ 인용문헌

마이어스, 토니. 『누가 슬라보예 지젝을 미워하는가』. 박정수 역. 서울: 앨피, 2005.

호머, 숀. 『라캉 읽기』. 김서영 역. 서울: 은행나무, 2014.

Agamben, Giorgio. *Infancy and History: the Destruction of Experience*. Trans. Liz Heron. London: Verso, 1993.

______________. *Potentialities: Collected Essays in Philosophy*. Trans. Daniel Heller-Roazen. Stanford, CA: Stanford UP, 1999.

Bogue, Ronald. *Deleuze's Way: Essays in Transverse Ethics and Aesthetics*. Burlington, VT: Ashgate, 2007.

Deleuze, Gilles, and Felix Guattari. *A Thousand Plateaus, Capitalism and Schizophrenia*. Trans. Brian Massumi. Minneapolis: U of Minnesota P, 1987.

Nobus, Dany. "The Sculptural Iconography of Feminine Jouissance: Lacan's Reading of Bernini's Saint Teresa in Ecstasy." *The Comparatist* 39 (2015): 22-46.

Zizek, Slavoj. *The Zizek Reader*. Eds. Elizabeth Wright and Edmond Wright. Oxford: Blackwell, 1999.

1부

여성-되기와 문학

1

들뢰즈와 가타리의 여성-되기와 전복성*

1. 들어가는 말

존재론적인 측면에서 들뢰즈와 가타리의 혁신은 존재being에서 되기becoming로의 전환에 있으며, 되기 중에서도 가장 핵심적인 것은 여성-되기이다. "모든 되기는 여성-되기를 통해 시작되며 여성-되기를 지나간다고 말해야 할 것이다. 여성-되기는 모든 되기의 핵심이다"(들뢰즈 · 가타리 526). 그동안 여성-되기에 대한 연구는 신체, 욕망, 주체성, 존재론과 연관된 것이었다. 국내 연구로는 연효숙과 김은주가 여성-되기를 신체와 연관하여 연구했다. 김은주는 들뢰즈와 가타리에서 신체들의 결합 관계인 변동과 그에 따라 신체에서 일어나는 힘의 변화에 주목하며 이를 여성 주체와 연관시켰고, 연효숙은 생산으로서의 욕망에 주목하는 들뢰즈와 가타리

* 조애리 · 김진옥

의 아이디어에 착안하여 분자적 흐름이 보이는 욕망의 구도 안에서 여성-되기를 살폈다. 이들과는 각도를 달리하여 김재인은 여성-되기가 여성과 남성이라는 이분법을 가로질러 비-인간적 성, n개의 성에 도달하는 것이라는 점을 강조하고 있다. 국외 연구에서도 존즈Ruth Jones는 전통적인 주체성 개념을 파괴한 점에서 들뢰즈와 가타리의 여성-되기를 높이 평가한다. 브라이도티Rosi Braidotti는 들뢰즈의 '여성-되기' 개념에 여성은 단지 은유로서 동원되고 있다고 비판하면서, 성차를 보다 적극적이고 긍정적으로 각인해야 한다고 시사한다. 플리거J. A. Flieger는 여성-되기 중 분자적 여성이란 점에 초점을 두어 몰적molar 여성과 분자적molecular 여성을 대비시키며 분자적 여성의 페미니즘적인 함의를 드러내고 있다.

김은주와 연효숙은 사회 운동으로서 페미니즘보다는 여성의 신체와 여성-되기를 연관시키는 데 관심을 두고 있으며, 김재인은 그 누구보다 깊이 있게 되기의 문제에 천착하고 있을 뿐 아니라 여성-되기의 개념 역시 정확하게 정의한 장점이 있지만 사회적인 집단으로서의 여성이라는 문제에는 관심을 두지 않는다. 플리거 역시 분자적 여성이 지닌 해방적인 에너지를 정교하게 분석해낸 점은 높이 살 수 있으나, 여기서 나아가 여성의 연대까지 다루지는 않고 있다. 성차의 정치학에 초점을 맞추는 브라이도티의 장점은 성차, 여성 사이의 차이, 여성의 내면이라는 세 층위를 고려해야 한다는 점에서 복합적인 관점을 발전시키고 있는 것이지만, 그녀 역시 여성들 사이의 연대나 여성운동에는 큰 관심을 보이지 않는다. 여기서는 페미니스트적 관점에서 어떻게 여성-되기가 가부장제를 해체하고 새로운 여성성을 이끌어 낼 수 있는지 살펴보고자 한다. 나아가 리좀과 전쟁기계 개념을 중심으로 여성의 집합성으로 나아가는 잠재적 전복성을 탐색하겠다.

2. 여성-되기와 가부장제의 해체

1) 가부장제의 해체

여성-되기의 가장 큰 성과는 남/여 이항대립을 해체하는 점이다. 이때 이항대립의 해체는 단순히 구조가 아니라 그 구조 속에 작동하는 권력을 해체하는 것이다. 즉, 동등한 두 항의 해체가 아니라 다수/소수, 지배/피지배의 이항대립 구도의 해체이다. 이런 지배/피지배의 구도를 따르는 남/여 이항대립의 해체는 곧 가부장제 권력에 대한 전면적인 도전이다.

> 남성-(여성), 어른-(아이), 백인-(흑인, 황인 또는 홍인), 이성적-(동물적) 등이 그것이다. 따라서 중심점 또는 제3의 눈은 이원적 기계들 속에서 이항적 분배들을 조직하고 주요한 대립 항에서 재생산된다는 특성을 가지며, 동시에 이 대립 전체가 그 중심점 또는 제3의 눈 안에서 공명한다. … 이처럼 남성은 중심점의 위치에 따라 거대한 기억으로 구성된다. (들뢰즈・가타리 553-54)

들뢰즈와 가타리가 강조하는 것은 이항대립에는 늘 중심점이 되는 항이 있다는 점이다. 이항대립은 동등한 권력을 지닌 두 개의 항의 대립이 아니라 남성, 어른, 백인이라는 중심점을 기준으로 이항대립이 성립되며 특히 남성이라는 중심점이 강력하게 작동한다. 이 중심점과의 관계 아래에서 여성, 동물, 아이, 흑인 등이 규정된다는 것이다. 들뢰즈와 가타리가 이항대립에서 권력의 작동과 억압/피억압의 구도를 주목한 것도 높이 살 만하지만, 특히 이 모든 억압에서 남성이 강력한 중심점으로 작용한다는 것을 주목한 점에서 독창성이 빛난다. 이러한 인식틀에서는 이항대립의 해체가 곧 권력의 정점에 남성이 있는 가부장제의 해체를 뜻하게 된다. 그렇다면 어떤 식의 해체가 될 것인지가 문제가 된다. 들뢰즈는 아주 독창적으로 소수인 여성-되기를 포함한 소수자-되기를 대안으로 제안한다.

2) 여성과 소수자-되기

들뢰즈와 가타리의 전복성은 단지 소수에 공감하는 데 있는 것이 아니라 소수가 되어야 한다고 주장하는 데 있다. 그는 여성-되기는 곧 소수자-되기라고 한다. "남성-기준과 관련한 여성의 특별한 위치가 소수파 그 자체인 모든 생성들이 여성-되기를 통과하도록 만드는 것 같다"(들뢰즈 · 가타리 229)라고 지적한다. 여성-되기는 소수자-되기이며 남성이라는 기준점의 대척점에 서는 것을 의미한다.

이때 다수와 소수를 결정짓는 요인은 숫자가 아니라 권력이다. 다수는 "상대적으로 더 큰 양이 아니라, 어떤 상태나 표준, 그와 관련해서 더 작은 양뿐만 아니라 더 큰 양도 소수라고 말할 수 있는 표준의 규정, 가령 남성-어른-백인-인간 등을 의미한다"(들뢰즈 · 가타리 550). 즉 다수와 소수는 양의 많고 적음과는 관계가 없으며, 지배 권력의 소재에 의해 규정된다. 다시 말해 다수는 "어떤 상태나 표준의 규정"(la détermination d'un état ou d'un étalon)을 가리키며, "지배 상태"를 상정한다(김재인 229-30). 다수가 수의 개념이 아니듯이 소수 역시 수적 열세를 뜻하지 않는다. "유대인, 집시 등은 특정한 조건에서는 소수자를 형성할 수도 있다. 하지만 그것은 아직 소수자를 생성하게 하기에 충분치 않다. 상태로서의 소수성 위에서 우리는 재영토화되거나 재영토화되게 하기 때문이다"(들뢰즈 · 가타리 551). 소수자 개념에서 가장 중요한 것은 권력이라는 중심점의 대척점에 있는 것으로 소수자-되기는 그 대척점과 같은 속도와 같은 성질을 갖는 것을 의미한다.

여성, 동물, 식물은 모두 소수자이고 여성-되기, 동물-되기, 식물-되기를 하지만 소수 중에서도 여성은 특별하다. 이에 대해 존즈는 들뢰즈와 가타리가 왜 모든 되기가 여성-되기를 통과해야 하는지 정확하게 설명하고 있지 않다며 불만을 표시한다. "여성-되기가 모든 다른 되기가 거치는 중간의 공간으로 이용되고 있다는 것을 암시하고 있지만 이런 주장은 의심스럽다"(Jones 2004, 13)고 한다. 그러나 여성-되기가 단순한 공간이라고 볼 수는 없다. 여성-되기는 남성을 중심점으로 하는 구조 자체에 문제를 제기하기 때문에 가장 중요한 되기이지 단순히 "중간의 공간"은 아니다. 다시 말해, 다수에게서 가장 중요한 것이 남성이고 남성이 가장 중요한 기준이며 여성-되기는 그러한 기준에서 탈주하는 대표적인 운동으로 가부장제를 전면 부인하는 것이다.

여성-되기는 남성이라는 다수성의 기준이 강요하는 것에서 벗어나는 것이며 그런 점에서는 남성 중심적 권력에 대항하는 것이다. 들뢰즈와 가타리의 정치성은 단지 소수와 공감하는 정도가 아니라 소수자-되기의 과정을 거치는 데 있다. 여성-되기는 가부장제 자체를 파괴하는 데 그치지 않고 소수자인 여성이 되는 것이다. '되기'의 개념과 그것이 지닌 전복성에 대해서는 다음 장에서 살펴보겠다.

3. 여성-되기와 분자적 여성

1) 동명사로서의 되기

들뢰즈와 가타리 존재론의 핵심은 되기이다. 되기라고 할 때 되기는 인간에서 동물로, 남성에서 여성으로 등등 하나의 항에서 다른 항으로 옮아가는 것이 아니다. 남성이라는 견고한 실체가 여성이라는 또 다른 견고한 실체로 옮아가는 것이 아니다. 이에 대해 김재인은 되기라는 용어 대신 생성을 사용할 것을 주장한다.

> 이 텍스트들에서 최우선으로 강조되는 것은 devenir 동사의 의미를 일상적 용법으로 받아들여서는 안 된다는 점이다. 보통 'A devient B'라고 하면 'A가 B로 되다'라는 뜻으로 이해된다. '인간이 동물이 되다', '남성이 여성이 되다', '어른이 아이가 되다' 등. 그러나 생성에 '항'은 없으며, '항들의 관계'도 없다. 그런 점에서 생성은 "실체적 의미가 아니라 동사적 의미"[1])로 이해해야 한다. 말하자면, 방금 전에 열거한 문장들에서 '인간', '동물', '남성', '여성', '어른', '아이'와 같은 항이나 실체를 지우는 것이 일차적이다. 사실이지, 그런 항이나 실체를 남겨둔다면, 생성은 여전히 상상이나 은유로 이해될 수밖에 없다. 인간이 진짜로 쥐로 변하거나 하는 것은 아니기 때문에, 이 경우 인간의 쥐-생성은 결국 상상이나 은유로밖에는 받아들일 수 없기 때문이다. (김재인 2015, 222)

김재인이 생성이라는 개념에서 강조하는 것은 항을 지우는 것, 은유가 아닌 것, 동사적인 의미를 지닌 것이라는 점이다. 이러한 김재인의 지적은 되기를 둘러싼 여러 오해를 불식시킬 수 있는 통찰력을 보여준다. 되기를 하나의 은유나 모방으로 받아들여서는 안 된다는 점, 특히 실체가 아니라 동사라는 점을 설득력 있게 지적하고 있다. 그러나 생성이라는 개념을 여

1) Stéphan Leclercq and Arnaud Villani, "Devenir", p. 101, in Robert Sasso and Arnaud Villani (eds.) (2003), *Le Vocabulaire de Gilles Deleuze*, *Les Cahier de Noesis* no. 3, Printemps 2003.

성-생성이라고 할 경우, 오히려 무의 상태에서 여성이 생성되는 느낌을 주며 가부장적 이항대립의 해체라는 측면이 제대로 부각되지 않는다. 오히려 플리거의 견해대로 되기를 동명사로 이해할 때 동사적 의미를 지니면서도 여성의 변화를 지시할 수 있을 것이다. "'여성-되기'에서 가장 중요한 용어는 명사나 형용사가 아니라 동명사이다. '되기'는 과잉, 타자, 외재성을 향해 움직이는 탈주선을 뜻한다. 들뢰즈와 가타리의 세계는 정지 상태에 있는 것이 아니다. 그러므로 여성은 목표나 용어가 아니라 하나의 잠재성, 하나의 유발성이다"(Flieger 2000, 42). 이처럼 되기라는 개념을 동명사로 이해할 때 가장 중요한 방향성이 살아나게 된다. 방향성은 우선 가부장제에서 탈주하는 것이며 이 탈주는 무한한 잠재성, 새로운 힘을 유발하는 것이다. 브라이도티 역시 되기에서 중요한 것은 "리듬, 속도, 배열의 과정"(Braidotti 2000, 160)임을 강조한다. 따라서 되기는 탈주를 통해 새로운 리듬, 속도, 배열을 갖게 되는 것이다.

2) 분자적 여성-되기

되기에서 핵심이 동사가 갖는 방향성이라고 할 때, 이 동사의 움직임의 궤적이 중요하다. 들뢰즈와 가타리는 되기에서 움직임이 분자적이라고 한다. 여성-되기는 몰적 여성에서 분자적 여성이 되는 것, 즉 분자의 움직임을 따르는 것이다. 이들은 몰적 존재인 여성과 분자적 여성-되기를 구별한다. 몰적 존재라는 것은 여성과 남성이라는 이항대립의 한 항을 이루는 기관과 기능을 갖춘 여성을 가리킨다. 반면 분자적이라는 것은 견고한 구조 속에 배치되는 몰적 존재와는 질적으로 다른 존재 양상이다.

그렇다, 모든 되기는 분자적이다. 되기를 하는 동물이나 꽃이나 돌은 분자적 집합체이며 <이것임>이지, 우리가 우리들의 바깥에서 인식하며 경험이나 과학이나 습관 덕분에 재인식하는 몰적 형태, 대상 또는 주체들이 아니다. 그리고 이것이 사실이라면 인간적인 것들에 대해서도 똑같은 말을 해야 할 것이다. 가령, 명확하게 구별되는 존재물로서의 여성이나 아이와는 전혀 유사하지 않은 여성-되기, 아이-되기가 존재하는 것이다. … 우리가 여기서 몰적 존재물이라고 부르는 것은, 예컨대 여성과 남성을 대립시키는 이원적 기계 속에서 포착되고, 형태에 의해 한정되고, 기관과 기능을 갖추고 있고, 주체로 규정된 여성이다. (들뢰즈 · 가타리 522)

몰적 존재로서의 여성은 우리가 경험적으로 알고 있는 지배/피지배 구도 안의 여성인 데 반해, 분자적 여성은 이런 견고한 정체성을 가지고 있지 않다. "동물, 꽃, 돌이 분자적 집합체이며 이것임"이듯이, 여성도 분자적 집합체라는 의미에서 분자적 여성이다. 분자적 여성이 이것임의 상태가 된다는 것은 "미시-여성성의 근방역으로 들어가는 입자들을 방출하는 것, 말하자면 우리 자신 안에서 분자적인 여성을 생산하고 창조하는 것이다" (들뢰즈 · 가타리 523). 바로 이런 의미에서 분자적 여성은 가부장제로부터 탈주일 뿐 아니라 생산적이며 창조적이다. 다시 말해, 이전의 가부장제적 구조의 부정에 그치는 것이 아니라 그동안 상상하지도 못했던 새로운 존재로 창조되어가는 과정인 것이다. 이것은 화학에서 분자의 움직임처럼 자유롭게 움직이며 이 자유로움은 다수성이 강요하는 기준점을 전면적으로 전복시킨다. "몰적인 것이 유기체 전체, 주체, 형식, 그들 간의 상호작용, 사회적인 행동과 관련된 것이라면, 분자적인 것은 화학적 · 물리적 반응의 수준에서 비주체적인 존재, 강렬함을 고려하며 근본적으로 물질적인 '미시정치학' 안에서 작동된다"(Flieger 2000, 41). 들뢰즈와 가타리는 이처럼 분자적 여성이라는 화학적인 개념을 씀으로써 여성의 개체성과 자유로움을 동시에 표현할 수 있게 된다. 가부장제 속에 배치된 고정된 위상으로서의 여성이 아니라 자유롭게 운동하고 탈주하며 접속하는 개별자인 여성을 가리킨다.

들뢰즈와 가타리는 여성도 여성-되기를 해야 한다고 지적한다. "몰적 여성 역시 여성-되기를 하여야 한다"(들뢰즈 · 가타리 523). 이 말은 기존의 이항구도 속에 배치된 여성 역시 분자적 여성-되기를 해야 한다는 뜻이다. 이항구도가 낳은 가부장제라는 영토를 벗어나는 탈주적 에너지를 지닌 분자적 여성은 개체성을 극대화한 양상이라고 할 수 있다. 이때 "영토는 국가, 계급, 제도뿐 아니라 개인 사이의 관계 및 느낌까지 포함하며, 견고한 분할선에 의해 구획 지어진다. 이러한 견고한 분할선으로 둘러싸인 영토는 외관상 영원히 부서지지 않을 것처럼 보인다. 그러나 탈영토화하려는 비밀스러운 선"(조애리 136)이 존재한다. 다시 말해 탈영토화의 벡터를 지닌 분자적 여성은 경험적인 몰적 여성이라는 견고한 분할선을 뚫고 나온 여성이다. 몰적 여성이 가부장제가 규정하고 배치한 여성이라면 분자적 여성은 그것을 넘어선 자유로운 여성, 새로운 잠재성을 지닌 여성이다.

여성-되기는 여성의 입장에서 다수의 기준을 해체한다는 점에서 전복의 가능성을 보여준다. 여기서 나아가 탈주적 에너지를 지닌 분자적 여성-되기는 남성지배/여성피지배의 틀에 의해서 규정을 벗어나 새로운 개체성을 획득하는 것이다. 이항적 대립 구조를 완전히 벗어난 새로운 개체로서의 여성을 상상하는 여성-되기는 개별자로서의 여성일 뿐 아니라 해방적 에너지를 지닌 여성이 되는 것이다. 자본주의에 여성해방의 잠재성이 있다면 가부장적 가족의 일원에서 개체성을 지닌 여성이 된다는 점이다. 그러나 자본주의 아래에서 여성이 개체성은 확보하지만 여전히 가부장제적 억압 속에 있는데 반해2), 들뢰즈와 가타리의 분자적 여성은 개체성을 지녔으면서도 오히려 소수를 기준으로 만드는 해방적 에너지를 지닌 개인이다. 분자적 여성이 전복을 위한 정치세력이 되는 문제에 대해서 들뢰즈와 가타리 역시 고민을 하고 있다. 그들은, 몰적 여성은 유기체적 조직의 정치에 속하는 반면 그것을 넘어서는 분자적 여성의 정치학이 가능함을 말한다.

> 여성들이 제 나름의 유기체, 제 나름의 역사. 제 나름의 주체성을 쟁취하기 위해서 그램분자적인 정치를 이끌어 가는 것은 불가결한 일이다. … 이항 기계를 축소판으로 만들고 내면화하는 것은 그것을 격화시키는 것과 마찬가지로 통탄할 일이다. 그런다고 해서 이 기계로부터 벗어날 수 있는 것은 아니기 때문이다. 따라서 그램분자적인 대치 속으로 미끄러져 들어가 그 밑으로, 또는 그것을 가로질러 가는 분자적 여성의 정치학을 착상해야만 한다. (들뢰즈 • 가타리 523)

들뢰즈와 가타리는 우선 "그램분자적인 정치"가 불가결한 현실을 받아들이지만 이어서 그 한계를 날카롭게 지적한다. 이항대립의 구조 속에 갇혀서는 결코 이항대립, 즉 가부장제를 극복할 수 없다는 것이다. 남성지배/여성피지배 구조를 그대로 둔 채 여성의 힘을 늘려가도 정치학의 구조 자

---

2) 여성은 경제적인 주체로서 개체성을 갖게 되었으면서도 여전히 억압적인 구조를 벗어나지 못하는 모순적 상황에 처한다. "대공업으로 인해 여성이 노동시장과 공장에 나와 종종 가족의 부양자가 되므로 남편의 지배가 존재할 여지가 없게 된다. 그러나 일부일처제 아래 그칠 줄 모르는 아내에 대한 학대는 여전하다"(엥겔스 1985, 79-80).

체가 변하지 않는 한 여성은 영원히 가부장제 아래서 피지배 상태에 머문다는 것이다. 이에 대한 들뢰즈의 대안은 가부장적 구조를 전복시킬 수 있는 "분자적 여성의 정치학"이다.

그로츠의 해석은 들뢰즈와 가타리의 견해를 좀 더 정확하게 해석한 것이라고 볼 수 있다.

> 그들이 말하는 여성, 분자적 여성이 갖는 정치성은 몰적 정치학에서 '우리 여성'으로 언표의 주체가 되는 것인, 중요하고 불가피하더라도 그를 넘어설 것을 주장하는 데 있다. 몰적 여성과 겹치는 것은 이항대립을 내재화하고 지속시키는 것이 될 수 있기 때문이다. 여성-되기가 주체성의 고착과 안정된 통일성의 구조를 넘어서는 일련의 과정이자 운동으로 연결된다는 점을 충분히 인정한다. (Grostz 1994, 177, 343. 연효숙 95에서 재인용)

그로츠는 분자적 여성이 과정과 운동으로 "주체성의 고착"을 충분히 넘어설 수 있음을 지적하고 있다. 그러나 그로츠의 한계는 "분자적 정치학"이라는 표현에도 불구하고 여성 간의 연대나 정치세력화에 대해서는 구체적인 논의가 없는 것이다.

다음 장에서는 들뢰즈와 가타리 자신이 구체적으로 논의하지는 않았지만 여성-되기를 리좀 및 전쟁기계와 연관시킴으로써 여성 사이의 연대가 가능해지는 잠재적 전복성에 대해 살펴보겠다.

4. 여성-되기의 전복성: 리좀과 전쟁기계

1) 여성-되기와 리좀

들뢰즈와 가타리는 "되기는 곧 리좀"(들뢰즈 · 가타리 454)이라고 한다. 이것은 여성-되기 역시 리좀을 이루는 운동이라는 뜻이다. 여성-되기를 하는 여성이 개인의 정체성 차원에서 여성-되기를 하는 데 그치는 것이 아니라, 여성-되기가 리좀으로 뭉치는 여성의 집합성을 상상할 수 있다. 기존의 연구에서는 여성-되기와 리좀의 연결에 초점을 맞춘 연구를 찾아보기 힘들다. 분자적 여성의 정치학이 되기 위해서 개인의 탈주에서 끝나는 것이 아니라 집합적인 힘이 필요한데, 이 힘이 위계적 · 유기적 조직이 아니라 새로운 형태의 집합이 되기 위해서는 '되기는 곧 리좀'이라는 명제에 천착할 필요가 있다. 이처럼 여성-되기를 리좀과 연관시킬 때 기존의 연구에서 간과한 여성-되기의 전복성이 더 명확하게 드러날 것이다.

들뢰즈와 가타리는 리좀을 다음과 같이 정의한다.

> 땅 밑 줄기의 다른 말인 리좀은 뿌리나 수염뿌리와 완전히 다르다. 구근이나 덩이줄기는 리좀이다. 뿌리나 수염뿌리를 갖고 있는 식물들도 아주 다른 각도에서 보면 리좀처럼 보일 수 있다. 즉 식물학이 특성상 완전히 리좀 형태로 되어있다는 것을 아는 것이 중요하다. 심지어 동물조차도 떼거리 형태로 보면 리좀이다. 쥐들이 리좀이다. (들뢰즈 · 가타리 18)

리좀은 위계적 수목형 구조를 이루는 "뿌리"가 아니고, 서로 결집되는 구근이나 덩어리이다. 동물에 있어 리좀은 중심점을 지닌 수직적 구조가 아니고 "떼거리 형태"이다. 예를 들면 쥐 떼 같은 것이다. 리좀의 또 하나의 특징은 탈주선의 결집이라는 점이다. 이것을 잘 보여주는 것이 서양란과 말벌의 리좀이다. 여기서는 "공통의 리좀으로 이루어진 탈주선이 있고 그것을 향한 두 이질적 계열의 폭발"(들뢰즈 · 가타리 25)이 있다. 서양란은 말벌과 리좀을 이루는 가운데 각각 자신의 견고한 정체성에서 탈영토화할 수 있게 된다. 이 리좀은 에너지의 결집과 상승이라는 면에서 폭발에 가까운 혁명적 에너지를 보여준다. 존즈의 말대로, 들뢰즈와 가타리에게 있어 "되기는 리좀이다. 분류나 수목적인 체계와는 관계가 없다. 되기는 일련의 진보나 퇴보도 아니고 파생 관계도 아니다. 되기는 감염이나 전염같이 어디에 속하느냐와 관계없이 탈주선을 따라 지나가는 것이다"(Jones 129-30). 즉 들뢰즈와 가타리에서 여성-되기는 수목적인 위계 속에 하위주체로 자리매김되기를 거부하고 탈주하는 것이며 이 탈주가 리좀이라는 하나의 집합성을 이루는 것이다. 이처럼 여성-되기의 탈주선이 개인의 차원에서 끝나지 않고 리좀으로 결집될 때 폭발적인 에너지를 분출하게 된다.

이때 리좀은 위계적이거나 유기적인 조직이 아니라 서로 평행적이며 비위계적인 조직이다. 네그리가 다중과 리좀을 연결시키듯이 여성-되기와 리좀의 연결은 여성 해방을 위한 집합성의 근거가 될 수 있다. 네그리는 다중이 적극적 주체로서 공간을 확보하는 방식이 지금까지와는 다른 방식을 보인다는 점, 즉 리좀을 이루는 점에 주목한다. "주체성의 형성 과정을 면밀히 보면 포괄될 수 없는 리좀에 의해 새로운 공간이 생기는 것을 볼 수 있다"(Negri 397). 여성-되기 역시 기존의 구조나 조직에 포괄될 수 없는 새로운 공간, 즉 리좀을 형성할 수 있는 가능성을 지니고 있다. 이질적인 서양란과 말벌이 리좀을 형성하듯이 이질적인 개별적 여성 사이에서도 리좀 형성이 가능하다. 분자적 여성이 리좀을 이루되 언제든 또 다른 리좀으로 옮겨갈 수 있는 점에서 리좀이라는 조직은 여성 해방의 대안이 될 수 있을 것이다. 이런 점에서 리좀이라는 들뢰즈와 가타리의 명제 속에 여성-되기의 잠재적 전복성을 찾아볼 수 있다.

2) 여성-되기와 전쟁기계

위에서 살펴보았듯이 여성-되기는 리좀이 되는 것이며 리좀은 전쟁기계로 발전할 잠재성을 지니고 있다. 이는 여성-되기가 어떤 점에서 사회적 차원의 전복성을 가지고 있는지 보여준다. 들뢰즈가 말하는 전쟁기계란 개념은 엔진이라기보다는 국가와는 다른 모든 탈주선을 포괄한 리좀적 총체에 가깝다. 또 하나 전쟁기계의 가장 중요한 특징은 국가의 일부가 아니고 “국가장치 외부에 존재한다”(들뢰즈 · 가타리 671)는 것이다. 전쟁기계는 흔히 우리가 생각하듯이 국가가 일으키는 전쟁에 복무하는 군대 같은 조직을 지칭하는 것이 아니라, 국가라는 홈 패인 공간을 휩쓸어 버리고 지나가서 전혀 흔적조차 찾아볼 수 없는 매끈한 공간을 만드는 탈중심적, 반위계적, 리좀적 총체다. 전쟁기계가 중요한 것은 바로 매끈한 공간이라는 새로운 영토, 해방의 공간을 만들어내기 때문이며 이 해방의 공간에서 여성의 해방 역시 가능해지기 때문이다.

들뢰즈와 가타리는 국가와 전쟁기계를 대비시켰지만, 여성-되기가 전쟁기계와 연결될 수 있음을 본격적으로 시사하지는 않았다. 들뢰즈와 가타리에 있어 여성-되기의 한 예가 소녀-되기로, 소녀는 특정한 성에 속하지 않는다는 점에서 사이 존재이며 여성-되기의 특성을 잘 보여준다.[3] 소

3) “소녀는 기관 없는 몸체 위에서 끊임없이 질주한다. 소녀는 추상적인 선 또는 탈주선이다. 또 소녀들은 특정한 연령, 성, 질서, 권역에 속하지 않는다. 오히려 소녀들

녀-되기는 이처럼 사이 존재의 예로서 많이 언급되었으며 소녀전사의 예를 드는 가운데 여성-되기와 전쟁기계를 함께 사고할 수 있는 실마리를 제공하는 정도이다. 그동안 전사로서 소녀는 특별히 주목을 끌지 못했다. 하지만 소녀의 전사 이미지는 전쟁기계와 여성-되기의 한 접점을 제공한다. 전사의 이미지는 다음과 같이 나타난다. "전사가 소녀로 변장한 채 도주하는 것, 전사가 소녀의 모습을 빌어 몸을 숨기는 것 등은 그의 경력에서 순간적으로 치욕적인 우발적 사건이 아니다"(들뢰즈 · 가타리 526). 아쉽게도 들뢰즈와 가타리 자신은 소녀전사 논의를 여기서 끝내고 더 이상 발전시키지 않는다. 그러나 이때 소녀전사의 이미지가 중요한 것은 여성-되기의 탈주가 전쟁기계로 발전될 수 있다는 실마리를 제공하기 때문이다. 소녀전사의 에너지는 여성-되기로 형성된 리좀을 가부장제의 홈 패인 공간을 휩쓸어버리는 전쟁기계로 전환시킬 수 있는 힘인 것이다. 들뢰즈 자신도 일단 리좀은 언제든 전쟁기계의 가능성이 있음을 시사하고 있다. "무리나 패거리는 리좀 유형의 집단으로, 권력기관 주위에 집중되는 나무형 집단과 대립된다. 따라서 일반적으로 패거리는, 심지어 도적 떼나 사교계의 경우도 전쟁기계가 변신한 모습"(들뢰즈 · 가타리 686)이라고 말할 정도이다. 여성-되기의 탈주선이 이룬 리좀은 소녀전사의 에너지로 차 있고 따라서 더 강력한 전쟁기계가 될 수 있다.

국가에 대항하여 국가를 완전히 휩쓸어버릴 들뢰즈와 가타리의 전쟁기계를 남성지배/여성피지배의 가부장제라는 홈 패인 공간을 휩쓸어 버리는 전쟁기계로 상정할 수 있다. 전쟁기계로서 여성-되기의 리좀은 이러한

은 질서들, 행위들, 연령들, 성들 사이에서 미끄러진다. 또 소녀들은 막 관통해서 가로질러 온 이원적 기계들과 관련해서 도주선 위에 n개의 분자적인 성을 생산한다" (들뢰즈 · 가타리 524-25).

홈 패인 공간의 외부에 존재하며 이를 전면 부정하고 휩쓸어버릴 수 있다. 이러한 전쟁기계는 "인간들에게 닫힌 공간을 배분하고 부분적인 공간을 각자의 몫으로 지정한 다음 이들 부분들 간의 교통을 규제하는 기능"(들뢰즈 · 가타리 730)을 전면 거부한다. 가부장제 안에서 여성에게 배정된 홈 패인 공간이나 그 공간 안에서의 규제된 교통에서 탈주하는 것이 전쟁기계로서 여성-되기다. 이러한 여성-되기의 탈주가 사회적 변혁의 에너지로 변환될 때 혁명적인 에너지가 되며 가부장제가 완전히 사라지는 매끈한 공간을 재구성할 수 있다. 들뢰즈는 전쟁기계가 궁극적으로 매끈한 공간을 구성한다고 한다. "불복종 행위, 봉기, 게릴라전 또는 행동으로서의 혁명이라는 반국가적 움직임이 있을 때마다 전쟁기계가 부활하고 새로운 유목적인 잠재세력이 출현해 매끈한 공간이 재구성된다"(들뢰즈 · 가타리 742). 전쟁기계는 "결코 공간을 점유하는 것이 아니라 새로운 공간을 창조하는 것"(Deuchars)이라는 지적대로 탈주하는 여성-되기의 리좀적 집합체는 새로운 공간, 가부장제와는 전혀 다른 매끈한 공간을 창조할 것이다. 이제 여성들은 "어떠한 지점에서든 돌출해서 소용돌이 운동을 하며 열린 공간을 차지"(들뢰즈 · 가타리 697)하게 될 것이다.

전쟁기계로 인해 홈 패인 공간인 가부장제가 완전히 무너지고 매끈한 공간이 등장하고 이 공간에서야말로 여성 해방의 새로운 국면이 펼쳐질 것이다. 여성-되기의 핵심인 탈주는 "지배적 체제에 대한 저항이며 새로운 배열의 창조"(Deuchars)로 리좀적 총체인 전쟁기계로 발전할 수 있다. 그동안 많은 평자들이 들뢰즈의 여성론적 한계를 많이 지적했으나 여성-되기와 리좀의 연관이나 전쟁기계로서 여성-되기가 갖는 전복성은 부각되지 않았다. 이러한 패러다임의 전환은 여성-되기가 갖는 전복적 의미에 대한 하나의 탐색이 될 것이다.

5. 나가는 말

들뢰즈와 가타리가 여성을 논할 때 가장 핵심적인 개념은 여성-되기이며, 여성-되기는 전복적 잠재성을 지닌 개념이다. 여성-되기는 남/여, 지배/피지배의 이원적 구조의 해체를 의미하며, 소수자인 여성이 되는 존재론은 여성 억압의 구도를 전복시킨다. 여성-되기 과정은 개체성을 지닌 분자적 여성의 생성이다. 이제 여성은 가부장제 속에 배치된 위상으로서의 여성이 아니라 개별적인 주체가 된다.

이처럼 들뢰즈와 가타리의 여성-되기는 이미 전복성을 지니지만 리좀이나 전쟁기계와 연관될 때 더 강력한 전복성을 지니게 된다. 들뢰즈와 가타리의 여성-되기가 리좀이라는 것은 곧 분자적 여성의 결집이 가능함을 뜻한다. 네그리가 리좀에서 다중의 힘의 결집을 보고 비위계적이며 동시에 전복적인 조직을 보았듯이, 좀 더 명확하게 리좀과 여성-되기를 연결시킬 경우 여성-되기는 집합적인 운동성을 지닐 수 있다. 또한 여성-되기가 노마드적 전쟁기계와 연관될 때 여성은 기존의 국가가 배치하는 여성을 넘어설 수 있다. 들뢰즈와 가타리의 개념을 좀 더 확대하여 여성-되기와 전쟁기계를 연결할 경우 해체에서 나아가 대안적인 집합성에 이를 수 있다.

■ 인용문헌

김은주. 「들뢰즈와 가타리의 신체 개념과 브라이도티의 여성 주체」. 『한국여성철학』 20.2 (2013): 65-94.

______. 「들뢰즈와 가타리와 가타리의 되기 개념과 여성주의적 의미, 새로운 신체 생산과 여성주의 정치」. 『한국여성철학』 21.1 (2014): 95-119.

김재인. 「여성-생성, n개의 성 또는 생성의 정치학」. 『철학사상』 56 (2015): 215-37.

들뢰즈, 질 · 펠릭스 가타리. 『천 개의 고원: 자본주의와 분열증』. 김재인 역. 서울: 새물결, 2001.

브라이도티, 로지. 『유목적 주체』. 박미선 역. 서울: 여이연, 2004.

엥겔스, 프리드리히. 『가족의 기원』. 김대웅 역. 서울: 아침, 1985.

연효숙. 「들뢰즈와 가타리와 가타리의 유목주의와 욕망론 그리고 여성적 주체」. 『한국여성철학』 6.2 (2006): 77-102.

윤교찬. 「'되기'의 실패와 잠재성의 정치학, 멜빌의 『필경사 바틀비』」. 『현대영어영문학』 53.4 (2009): 69-88.

조애리 · 한애경. 「『위대한 개츠비』와 「파열」에 나타난 들뢰즈와 가타리적 탈주선」. 『신영어영문학』 53.3 (2012): 129-47.

Braidotti, Rosi. "Teratologies." *Deleuze and Feminist Theory*. Eds. Ian Buchanman et al. Edinburgh: Edinburgh UP, 2000.

Coffey, Julia. "Bodies, Body Work and Gender, Exploring a Deleuzian Approach." *Journal of Gender Studies* 22.1 (2012): 3-16.

Deuchars, Robert. "Creating Lines of Flight and Activating Resistance, Deleuze and Guattari's War Machine." http://www.victoria.ac.nz/atp/articles/pdf/Deuchars-2011.pdf (2016년 2월 15일 검색)

Fielger, J. A. "Becoming-Woman, Deleuze, Schreber and Molecular Identification." *Deleuze and Feminist Theory*. Eds. Ian Buchanman and Claire Colebrook. Edinburgh: Edinburgh UP, 2000. 38-63.

Grosz, Elizabeth. *Volatile Bodies, Toward a Corporeal Feminism*. Bloomington: Indiana UP, 1994.

____________. "A Thousand Tiny Sexes, Feminism and Rhizomatics." *Gilles Deleuze and the Theater of Philosophy*. Eds. Boundas, C. V. and Dorothea Olkowski. London: Routledge, 1994.

Jones, Ruth. "Becoming-hysterical—becoming-animal—becoming-woman in The Horse Impressionists." *Journal of Visual Art Practice* 3.2 (2004): 123-38.

Marrati, Paola. "Time and Affects, Deleuze on Gender and Sexual Difference." *Australian Feminist Studies* 21.51 (2006): 313-25.

Moulard-Leonard, Valentine. "Moving Beyond Us and Them? Marginality, Rhizomes, and Immanent Forgiveness." *Hypatia* 27.4 (2012): 828-46.

Musselwhite, D. E. "Tess of the d'Urbervilles: 'A becoming woman' or Deleuze and Guattari go to Wessex." *Textual Practice* 14.3 (2000): 499-518.

Negri Antonio, and Michael Hardt. *Empire*. Cambridge: Harvard UP, 2000.

2

여성-되기와 유목적 공간: 『테스』*

1. 들어가는 말

70년대 이후 페미니스트 비평은 『테스』에 대한 새로운 비평의 장을 열었다. 이제 『테스』 이해의 가장 핵심적인 문제는 테스가 여성으로서 주체성을 어떻게 드러내는지, 그녀의 성은 어떻게 재현되며 당대 성이데올로기와 연관지어 그 의미는 무엇인지이다. 대표적인 페미니스트 비평가인 스텁스Patricia Stubbs는 하디가 여성에게 순결을 요구하는 당대 이데올로기를 비판한 점을 높이 사면서도 궁극적으로 테스를 희생자로 그리고 있다고 비판하고 있다. 즉 여성을 남성의 가부장적 힘 앞에서 무력한 존재로 보는 성 이데올로기에서 크게 벗어나지 못했다는 것이다. 스텁스와 마찬가지로 부멜라Penny Boumelha는 테스의 비극이 "성과 지성, 육체와 정신의

* 조애리 · 김진옥

양극성을 마찬가지로 양극적인 젠더에 투사하는 이데올로기"(122) 때문인 것을 지적하지만, 테스를 단순히 희생자로 보기보다는 조금 더 복합적으로 하디가 여성인물에 대해 공감적이며 동시에 회의적인 양가성을 지니고 있는 점을 지적하며 나아가 이를 서술적 기법과 연관시킨다. 그녀는 화자가 "양성적인 목소리"(32)를 통해 한편으로는 여성으로 하여금 자신의 경험을 말할 수 있게 하지만 다른 한편으로는 남자 주인공들과 마찬가지로 화자 역시 "에로틱한 환상으로 … 테스를 쫓고, 침해하고, 처형"(120)하는 것으로 보고 있다. 또한 화자가 거리를 둔 관찰과 미세적인 차원의 세세한 탐색, "분석적 전지전능"과 "에로틱한 연루" 사이를 오가는데, 이러한 텍스트의 혼란 역시 하디가 자신의 이야기 방식을 불편하게 느끼는 데서 온다고 분석한다.

페미니스트 비평의 영향으로 이후 대부분의 비평가들이 화자, 나아가 하디가 테스를 대상화한다는 점에 동의한다. 일례로 존 구드John Goode는 화자가 테스를 대상화하고, 특히 알렉과 에인절의 '소비 대상'으로 제시된 점을 강조한다. 또 다른 흐름으로는 하디의 페미니스트적인 측면만을 강조하는 비평이 있다. 채토패드하이에이Amrita Chattopadhyay는 테스가 혼외자를 낳은 여성이었기 때문에 점잖은 당대의 기준에서 볼 때 순결할 수가 없는데 순결한 여성이라는 부제를 붙여서 하디가 당대 "여성의 순결이라는 이상에 도전한" 점을 높이 사며, 하디가 그 전의 빅토리아 여주인공과 달리 "성적인 측면과 남성적 독립성 및 힘을 결합한 새로운 여성 인물"(27)임을 강조한다.

들뢰즈와 가타리의 되기 개념에서 테스에 접근할 때 희생자로서의 테스나 독립적인 여성의 테스라는 양극단의 해석을 넘어선 새로운 관점을 제공할 수 있다. 실제로 머셀화이트D. E. Musselwhite는 들뢰즈와 가타리의 관점에서 주체로서의 테스를 새롭게 해석하고 있다. 그는 사이존재, 분자적 여성, 전쟁기계 등 들뢰즈와 가타리의 개념틀을 통해 테스의 선택과 상황을 분석한다. 머셀화이트의 시도는 테스를 새로운 의미의 주체로 이해할 수 있는 단서를 제공한다는 점에서 높이 살 만하다. 그러나 그는 가장 중요한 에인절과의 관계에서 테스가 분자적 여성이 되는 것에 대해서는 전혀 관심을 두지 않고 있다. 또한 전쟁기계와 테스를 연결시킨 탁월한 통찰에도 불구하고 알렉이나 에인절에 대한 대항에만 주목할 뿐 어떤 점에서 테스가 전쟁기계로서 유목적 공간을 확보하는지에 대해서는 간과하고 있다.

본 연구에서는 우선 테스가 단순한 시선의 대상에 그치는 것이 아니라 새로운 차원의 여성-되기에 이른다고 보고 그 과정을 자세히 살펴보고자 한다. 기존의 비평에서 주체를 이야기할 때는 존재being의 관점에서 접근했지만 들뢰즈의 여성-되기는 새로운 차원에서 여성 주체를 해석할 수 있는 틀을 제공한다. 나아가 이런 존재론적 차원이 어떻게 테스가 내리는 선택의 국면에서 국가장치인 제도와 법에 대한 전면적인 문제 제기로 확대되는지 검토해 보고자 한다. 또한 테스가 전쟁기계라면 구체적으로 어떤 점에서 들뢰즈가 말하는 홈 패인 공간을 벗어나 매끈한 유목적 공간을 창조해내는지 분석하고자 한다.

2. 여성-되기와 테스

들뢰즈는 존재being와 정체성에 초점을 맞추는 서구의 철학 전통에 도전하며 되기becoming를 그의 철학의 중심에 둔다. 되기는 안정된 주체인 존재와는 반대로 계속 변화하고 생성되는 과정이며, 이 과정은 늘 소수자-되기이다. "남성-여성, 백인-흑인이나 황인 또는 홍인, 이성적-동물적" 등의 이항대립은 중심점에 의해 "조직되고, 재생산"(들뢰즈 · 가타리 522)되는데 남성, 백인, 이성적 인간은 그 수가 적더라도 중심점, 즉 기준norm인 다수이고 여성, 흑인이나 황인, 동물은 소수자이다. 되기는 중심점, 즉 기준으로부터 탈주하면서 위계적인 권력구도를 파괴하는 것이기 때문에 소수자-되기가 될 수밖에 없다. 남성이라는 기준에서 탈주하는 여성-되기는 "남/여, 지배/피지배의 이원적 구조의 해체를 의미하며 … 가부장제의 구도를 전복시키는 과정이다"(조애리 · 김진옥 280).

이때 여성-되기에서 여성은 경험적인 차원의 여성을 지칭하는 것은 아니다. 경험적인 차원의 여성은 "여성과 남성을 대립시키는 이항대립 속에서 … 주체로 규정된 여성"(들뢰즈 · 가타리 522)으로 견고한 정체성을 지니고 있다. 이에 반해 여성-되기는 이항대립 속의 여성으로 자리매김되는 것이 아니라 그러한 견고한 정체성으로부터 탈주하여 분자적 여성이 되는 것을 의미한다. 화학적인 정의인 '분자적'이라는 말은 탈주라는 자유로움을 뜻하며 동시에 변화를 뜻한다. 두 개의 몸이 충돌 혹은 접촉할 때 일어나는 시각적, 청각적, 촉각적 변화를 어펙트affect라고 하는데, 파르Parr는 "여성-되기는 흘러가는 어펙트"(303)라고 한다.

우선 남성/여성의 이항대립 속에서 테스가 어떻게 자리매김 되었는지, 그녀의 견고한 정체성은 무엇인지 살펴보자. 남성 지배/여성 피지배라는 이항대립 속에서 볼 때 테스의 정체성은 타락한 여성이다. 남성의 지배적 가치에서 볼 때 테스의 가장 중요한 특징은 순결을 잃은 것이며 그것이 그녀의 정체성 전부이다. 이는 전도사가 써 놓은 글씨에서도 잘 나타난다. 장정희의 지적대로 "테스가 알렉의 집에서 돌아오는 길에 만나는 성경 구절을 칠하고 다니는 남자는 테스에게 타락한 여인이라는 문화적 부호를 각인시킨다. 그가 칠한 붉은 빛깔은 주변의 아름다운 자연경관을 해치는 것이며 성구의 글자들은 테스에게 그녀를 짓누르고 죽이는 듯한 느낌을 준다"(153). 당대 사회의 위계적 구조에서 볼 때 타락한 여성이라는 정체성은 견고할 뿐 아니라 영원히 벗어날 수 없는 것이기도 하다. 작품의 후반부에서 다시 테스가 타락한 여성으로 인식되는 장면은 이러한 정체성의 규정이 얼마나 끈질기며 견고한 것인지를 다시 보여준다.

> 어두컴컴한 저녁 테스는 알렉과의 과거를 알고 있는 상스러운 청년을 만났다. 이 사람은 전에도 여관에서 그녀에게 상스럽게 말을 걸다가 에인절에게 얻어맞은 적이 있었다. 그때는 주춤했다가 지금은 테스를 골탕을 먹인다. 이 사람은 "솔직히 말해서 그게 맞잖소. 게다가 아가씨 애인이야 그 때문에 흥분했지만 읍내에서 내가 한 말도 사실이거든—그렇지, 약삭빠른 아가씨? 그 양반 주먹질은, 따지고 들자면 아가씨가 나한테 사과를 해야 하는 거요." (350)[4]

이때 타락한 여성이란 정체성은 팜므 파탈femme fatale이라는 정체성과 짝지어져 있다. 남성이 중심점이 되는 구조에서 순결을 잃은 여성을 배치하는 한 방법은 피해자가 아니라 남성을 유혹하는 팜므 파탈로 규정하는 것이다. "그녀는 이제 불리하기에 이른 한 속성을 가지고 있었다. 바로 이 때문에 알렉 드버빌이 그녀에게서 눈길을 떼지 못했던 것이다. 그것은 완전히 성숙한 여성의 풍만한 모습 때문이었다. 그녀는 실제 나이보다 훨씬 더 성숙한 여성으로 보였다"(82). 또 후에 알렉은 테스의 관능 때문에 신

4) 번역은 『테스』(김보원 역. 서울: 서울대 출판부, 2000)를 참조했으며, 부분적으로 수정했다.

앙을 버렸다고 하며 오히려 그녀를 비난한다. 테스를 부도덕한 존재로 비난한 사람은 작중 인물만은 아니다. 플로렌스 에밀리 하디Florence Emily Hardy에 따르면 당대의 독자들은 테스를 "교수형을 당해 마땅한 작은 매춘부"라고 했으며 당대의 사회개혁가이던 해브록 엘리스Havelock Ellis조차 테스를 포함한 하디의 여주인공들을 "영혼이 없는 악마 같은 존재들"이라고 비난했다(Jordan 118).

그러나 탈보세이즈Talbothays 목장을 향해 떠나기로 결정한 순간 테스는 타락한 여성이라는 견고한 정체성으로부터 탈주를 시작한다. "하지만 테스는 아직도 자신의 가슴 속에 희망에 찬 생명의 고동이 뜨겁게 뛰고 있는 것을 느꼈다. 아무런 기억이 남아 있지 않은 외딴곳이라면 어디서든 행복하게 살 수 있을 것 같았다. 과거와 과거에 속한 모든 것에서 벗어나려면 그것을 지워 없애야 하고, 그러자면 떠나는 수밖에 없었다"(150). 이런 결의를 가지고 떠난 탈보세이즈에서 테스는 "과거"의 정체성에서 탈주하여 여성-되기의 과정에 들어간다. 머셀화이트는 테스에 대해 인간과 자연, 식물과 동물, 물질적 세계와 정신적 세계의 경계가 무너지고 근방역을 형성하는 데 초점을 맞추어 분석한다(Musselwhite 515). 그러나 자연의 일부가 되는 것보다 더 중요한 것은 테스가 에인절Angel과의 관계 속에서 분자적 여성이 된 것, 즉 여성-되기의 과정에 들어간 것이다.

> 테스는 시간도 공간도 의식하지 않았다. 마음먹고 별을 바라보면 생겨난다고 스스로 얘기했던 그 환희가 마음먹지 않았는데도 다가와 있었다. 낡은 하프의 가녀린 가락을 따라 그녀의 가슴이 울렁거렸고, 그 화음은 산들바람처럼 그녀를 스치고 지나가면서 두 눈에 눈물이 고이게 했다. 떠다니는 꽃가루는 눈에 보이는 그의 노랫가락인 듯했고 풀밭의 습기는 감정이 북받친 뜰이 흘리는 눈물이었다. (179)

"시간도 공간도 의식하지 않았다"에서 알 수 있듯이, 테스는 새롭게 배치된 시간과 공간 속에서 여성-되기에 들어간다. 엔젤의 음악과 만나자 테스는 시각적, 청각적, 촉각적 변화를 일으켜서 "마음먹고 별을 바라볼" 때와 마찬가지로 "흘러가는 어펙트"(Parr 303)가 된다. 테스가 자연과 교감하며 해체되는 것보다 중요한 것은, 에인절이 연주하는 하프 가락과의 접촉으로 테스가 변화하는 점이다. 들뢰즈와 가타리는 하디의 인물에 대해 "그의 인물들은 인물이거나 주체가 아니다. 그들은 강력한 감각이다. 각자가 변화하는 감각의 집합이자 뭉치이자 블록이다. … 주체 없는 개체가 된다"(들뢰즈 · 파르네 78-79)고 하는데, 테스는 에인절의 음악이 촉발한 변화로 견고한 주체에서 해체되었을 뿐 아니라 새로운 "감각의 집합이자 뭉치"(들뢰즈 · 파르네 79), 즉 분자적 여성이 된 것이다.

탈보세이즈에서 테스는 이처럼 타락한 여성이라는 견고한 정체성을 벗어나서 메이데이May Day에 보여준 소녀의 모습으로 역행involution한다. 들뢰즈와 가타리가 여성-되기를 설명하면서 거의 유일하게 구체적인 예로 제시하는 것이 소녀되기이다. 그들에 따르면 분자적 여성의 원형으로서 소녀가 중요한 이유는 소녀는 "특정한 연령, 성, 질서, 권역"에 속하는 것이 아니라 "질서들, 행위들, 연령들, 성들" 사이를 미끄러지면서 "n개의 분자적인 성을 생산하기"(들뢰즈 · 가타리 524-25) 때문이다. 메이데이의 테스는 이러한 분자적 여성의 원형을 보여준다.

> 이 무렵의 테스 더비필드는 세상 물정이라고는 모르는, 순전히 감정으로만 움직이는 인간일 뿐이었다. … 어릴 때의 모습이 그녀의 외모에는 아직 남아 있었다. 오늘도 함께 걸어가는 동안 그 탄력 있고 아름다운 여자다움에도 불구하고, 이따금 뺨에서는 열두 살 때를, 눈에서는 아홉 살 때를 볼 수 있었고, 심지어 입의 곡선을 따라서는 다섯 살 때가 이따금 스쳐

가곤 했다. (51-52)

메이데이의 테스는 에너지 덩어리일 뿐 아니라 사이존재다. 머셀화이트는 테스가 성의 대상과 탈성화의 경계에 있는 사이존재라고 하지만, 더 정확하게 말하자면, 남성/여성의 어느 항에도 속하지 않는 사이존재다. 그녀에게는 "여성다움"이 있지만 열두 살 아이이기도, 아홉 살 아이이기도, 다섯 살 아이이기도 하다. 들뢰즈와 가타리의 역행이라는 개념은 퇴행과 달리 되기의 과정을 강조하는 개념이다. 위계적인 개념으로 시간을 거슬러 가는 것은 퇴행이지만, 기존의 경험적 여성에서 빠져나와 소녀의 상태가 되는 것은 퇴행이 아니라 역행이다. 에인절과의 사랑 속에서 테스는 견고한 분할선으로 둘러싸인 외관상 영원히 부서지지 않을 것 같은 타락한 여성이라는 정체성을 뚫고 나와 다시 소녀가 되는 역행을 보여준다.

테스의 여성-되기가 절정에 이르는 것은 에인절에 대한 사랑이 절정에 도달한 순간과 일치한다.

> 목장 사람들은 환희에 차 흩어지는 그녀의 격정적인 말을 들었고 … 그의 팔에 기대어 걷는 동안 쿵쾅거리는 심장 고동 때문에 간헐적으로 들리는 단음절만 알아들었다. 만족에 찬 침묵과 가끔 들리는 작은 웃음소리를 타고 그녀의 영혼이 날아가는 것 같았다.
>
> 그를 향한 테스의 사랑은 이제 그녀 존재의 숨결이고 생명이었다. 그것은 광구처럼 그녀를 둘러싸고 빛을 발하여 그녀의 슬픈 과거를 망각 속으로 밀어 넣었고, 끈덕지게 그녀에게 달라붙으려고 덤비는 음울한 유령들—의심과 공포, 침울, 근심, 수치—을 물리쳤다. 그녀는 자신을 둘러싼 그 환한 빛 바로 바깥에 유령들이 마치 늑대처럼 기다리고 있다는 것을 알고 있었다. 하지만 그것들이 거기서 굶주린 채 굴복할 수밖에 없도록 만

들 수 있는 끈질긴 힘을 그녀는 지니고 있었다. (259-60)

에인절과의 사랑 속에서 그녀의 말은 "환희에 차 흩어지고", 침묵조차 만족으로 가득 찬 상태가 된다. 플리거는 "몰적인 것은 유기체 전체, 주체, 형식, 그들 간의 상호작용, 사회적인 행동과 관련되는 반면, 분자적인 것은 화학적, 물리적 반응의 수준에서 작동한다"(Flieger 41)고 지적한다. 테스의 경우에도 화학적 · 물리적 수준에서 변화하여 침묵과 웃음과 언어 너머의 소리가 어우러진 흐름이 된다. 하디는 그녀가 에인절과 만남으로써 과거의 "의심", "우울", "두려움"을 물리치고 견고한 정체성에서 완벽하게 탈주할 수 있는 "끈질긴 힘"을 지니고 있는 점을 지적한다. 이것은 에인절과의 만남으로 그녀의 역량이 증강되었음을, 테스가 더 큰 역량을 지닌 분자적 여성이 되었음을 의미한다.

3. 테스의 유목적 공간

들뢰즈와 가타리는 탈주선에는 그 어떤 상상적인 것도, 그 어떤 상징적인 것도 없으며 동물에게든 인간에게든 탈주선보다 능동적인 것은 없다고 한다(들뢰즈 · 가타리 389). 이때 그들이 말하는 능동성은 단순히 자유롭게 운동하는 분자가 되는 문제가 아니다. 테스의 여성-되기는 되기라는 과정에서 끝나는 것이 아니라 전쟁기계가 되어 홈 패인 공간을 휩쓸어 버리고 새로운 유목적 공간을 창조한다. 이때 전쟁기계는 긍정적인 의미로 사용되고 있다. 현대정치에서 전쟁은 정당화되거나 정당화되지 않은 폭력을 뜻하며 국가와 불가분하다. 그러나 그들이 말하는 전쟁기계는 국가와 대립된 것이며 오히려 국가를 파괴하는 운동을 한다. 전쟁기계에는 특유의 광기, 폭력, 정념이 있으며 고유의 위험을 지니고 국가에 대항한다(구니이치 209-10). 국가의 공간은 "홈 패인 공간"으로 이미 정해진 규칙을 따르는 공간이다. 이에 반해 전쟁기계가 창조한 매끈한 유목적 공간은 탈주하는 운동 자체가 창조하는 공간이다. 지리적으로 말하자면 도로는 홈 패인 공간이라면 유목민이 달리는 초원은 매끈한 공간이다. 이 개념은 또한 형이상학적 관념이나 국가장치인 법이나 제도에도 적용되는 개념이다. 홈 패인 공간을 정해진 규칙을 따르는 체스에 비유한다면, 유목적 공간은 운동이 곧 공간을 창조하는 바둑에 비유할 수 있다. "중심적 관점을 구축한"(들뢰즈 · 가타리 940) 법이나 제도 등이 홈 패인 공간이라면, 유목적 공간은 법과 제도를 휩쓸어 버리고 "접속들과 방향 변화들을 무한대로 연속시켜"(들뢰즈 · 가타리 941) 창조하는 매끈한 공간이다. 사회적 측면에서 볼 때 유목적 공간에서는 위계적 질서나 규칙이 아니라 강렬함, 힘, 촉각이 지배한다.

여성-되기의 과정을 거쳐 분자적 여성이 된 테스는 전쟁기계가 되어 법이라는 홈 패인 공간을 휩쓸고 매끈한 공간을 창조한다. 이것은 사회적인 법으로 볼 때는 범죄로 규정되는 살인의 순간에 일어난다. 테스는 "에인절이 절대 나타나지 않을 것"이라는 알렉의 주장과 달리 뜻밖에 에인절이 나타나자, 외마디 신음소리만 낼 뿐 아무 말도 하지 못한다.

> "아 — 아 — 아!"
> 그리고 조용하다가 이번에는 무거운 한숨소리가 들렸고, 다시—
> "아 — 아 — 아!" … 이루 말로 형용할 수 없는 절망의 신음소리가 흘러나온 것은 바로 그녀의 입술에서였다.
> 그러자 옆방에서 남자의 목소리가 들렸다—
> "왜 그래?"

> 그녀는 대답도 하지 않고 울부짖음이 아니라 독백 같은, 독백이라기보다는 만가에 가까운 소리로 계속했다. 브룩스 부인은 겨우 일부만 알아들을 수 있었다. (469)

"아—아—아" 하는 나지막한 소리만 낸 후 이어지는 급작스러운 살인은 브룩스 부인의 귀에도 "겨우 일부만 알아들을 수 있을" 정도로 침묵으로만 표현되어 있다(김진옥 63). 언어로 표현될 수 없는 이 외마디 소리는 테스가 들뢰즈와 가타리의 전쟁기계가 되는 신호이기도 하다. 머셀화이트는 알렉과 에인절을 권위적 왕과 사제로 보고 테스가 이들에 대항한 전쟁기계라고 분석한다. 이때 그녀가 전쟁기계인 것은 올바른 분석이지만 휩쓸고 가는 홈 패인 공간은 단순히 에인절이나 알렉의 권위가 아니다. 테스는 그녀를 살인자로 규정하는 국가장치인 법을 휩쓸고 지나가는 전쟁기계가 된다. 테스는 법이라는 홈 패인 공간을 부인하는 데 그치지 않고, 나아가 매끈한 유목적 공간을 창조한다.

인간의 법을 완전히 휩쓸어 버린 후 창조한 유목적 공간에서 비로소 테스는 에인절과의 사랑을 완성시킨다.

> 외부와 완전히 단절된 가운데 그들도 모르는 사이에 닷새가 훌쩍 지나갔고, 그들의 평화를 방해하는 사람의 모습이나 소리는 아무것도 없었다. 유일한 사건이라고는 날씨의 변화였고 유일한 친구는 뉴 포레스트의 새들이었다. 그들은 암묵적인 동의하에 결혼이 깨진 날 이후 일어난 과거의 사건들에 대해서는 단 한 번도 이야기하지 않다시피 했다. 그 사이의 우울한 시간은 혼란 속으로 가라앉았고 현재와 직전의 시간들이 그 위를 덮어버렸다. 마치 아무 일도 없었던 것 같았다. 이상하게도 움직이기를 싫어하는 기색을 보였다.

"이렇게 달콤하고 즐거운 시간을 왜 그만둬요!" 그녀는 반대하는 말을 했다. … 덧문의 틈새로 내다보면서 말했다. "바깥에는 모두가 근심밖에 없어요. 여기 안은 만족스러운 데 말이에요." (480-81)

"이곳"은 유목적 공간을 생생하게 보여준다. "근심"이 지배하는 "바깥"과 "만족"이 넘치는 "이곳"과 법과 관습의 홈 패인 공간은 극명하게 대조를 이룬다. 이곳은 더 이상 테스를 타락한 여성, 알렉의 정부, 알렉의 살인자로 배치하는 홈 패인 공간이 아니다. 여기서 시간과 공간은 전혀 새로운 배치를 보인다. 공간은 국가장치로부터 완전히 자유로운 공간이며 시간은 에인절과의 결혼이 깨진 이후, 즉 "과거의 … 우울한 시간"이 완전히 소멸된 공간이다. 이들의 여정은 단순히 지형적인 변화에 한정되지 않고 "사회적이며 동시에 존재론적이고 시간 차원의 변화"(Yi 249)로 이어진다. "과거"의 에인절은 법과 관습에 얽매여 테스에게 알렉이야말로 "원래 네 남편"(313)이라며 테스를 버렸으며, 이런 에인절의 "가혹한 조치"에 대해 테스는 "자신의 죄가 무엇이건 간에 … 왜 이렇게 끈질기게 벌을 받아야 하는가?"(440)라며 한탄한 "우울한 시간"이었다. 하지만 법과 관습을 휩쓸어 버린 현재의 매끈한 공간에서는 평화로운 시간이 "우울한 시간"을 완전히 덮어버리고 소멸시킨다. 이들은 "예전에 경험한 적이 없던 결합"(Kimberly 174)에 이르고 여기서는 모든 것이 "달콤하고 사랑스럽다."

테스에게는 전쟁기계의 잠재성이 있었고 잠재되어 있던 역량을 방출시켜 유목적 공간을 창조할 수 있었던 것이다. 이미 세례식을 할 때 그녀는 종교라는 홈 패인 공간을 파괴할 수 있는 역량을 보여주었다.

> 두텁게 땋은 검은 머리카락이 등에서 허리로 늘어진 채로 길고 흰 잠옷을 입고 서 있는 그녀의 모습은 이상하게도 크고 당당해 보였다. 약한 촛불에서 나오는 다정하고도 희미한 불빛이 그녀의 몸매와 용모에서 햇볕에 드러날 만한 상처들—손목 위의 그루터기에 긁힌 자국이라든지 피곤에 지친 눈 등—을 감춰주었다. 그녀의 고귀한 열정은 자신의 몰락의 원인이 되었던 그 얼굴을 변모시켜서 그 얼굴이 거의 제왕 같은 위엄을 지닌 티 없는 아름다움으로 보이게 했다. (144)

홈 패인 공간이 그녀에게 배치한 자리는 타락한 미혼모이며 이 공간에서는 미혼모의 아이는 세례조차 받지 못한다. 이러한 관념을 받아들이는 것은 홈 패인 공간의 배치, 즉 국가장치를 수용하는 것이다. 그러나 테스는 일체의 관습과 제도를 무시하고 "제왕과 같은 위엄"을 갖추고 스스로 아이에게 세례를 하는 가운데 종교라는 홈 패인 공간에서 탈주할 수 있는 역량이 있음을 보여주었다.

들뢰즈와 가타리는 분자적 여성의 탈영토화 벡터가 커지는 것에 다음과 같이 이야기한다. "이런 생생한 감각의 뭉치, 이런 모음이나 집합은 행운의 길 혹은 불운의 길을 따라간다. 거기서 이 만남이 이들을 죽음이나 살인에 이르게 하기도 한다"(들뢰즈 · 파르네 79). 그녀의 살인이 탈영토화의 벡터가 커진 것을 보여준다면, "전 각오가 되어 있어요"라고 할 때 그녀는 살인으로 인간의 법을 휩쓴 데서 나아가 지상 자체에서 탈영토화한다.

> 클레어는 테스가 누운 돌 있는 데로 가서 그녀의 조그마한 한쪽 손을 잡으면서 그녀 위로 몸을 굽혔다. 그녀의 숨소리는 이제 빠르고 작아서, 여자의 숨소리라기보다 더 작은 동물의 숨소리 같았다. 점점 날이 밝아오는

가운데 일동은 기다렸다. 그들의 얼굴과 손은 은빛이었고 나머지 모습은 검은빛이었으며, 돌기둥들은 회녹색으로 반짝였고, 벌판은 아직도 전체가 어두웠다. 이윽고 햇볕이 강해지더니 세상모르고 잠들어 있는 그녀의 몸 위에 햇살이 한줄기 내리비치고 눈꺼풀 밑으로 스며들어 잠을 깨우고 말았다 … 그녀는 일어서서 몸을 떨고 앞으로 걸어 나갔다. 그러나 사나이들은 누구 하나 꼼짝하지 않았다. '전 각오가 되어 있어요' 하고 그녀는 조용히 말했다. (487)

들뢰즈와 가타리는 "불복종 행위가 있을 때마다 전쟁 기계가 부활하고 새로운 유목적인 잠재 세력이 출현해 매끈한 공간이 재구성된다"(742)고 하는데, 테스는 유목적 공간을 창조하고 "자율성, 기벽, 포획장치와의 타협 거부"(Musselwhite 514)를 보여준다. 국가가 유목적 공간을 전유하여 자신의 일부로 삼는 것을 포획이라고 하는데, 예를 들어 전쟁기계의 폭력마저도 합법적인 폭력이라는 홈 패인 공간으로 만들려고 한다. 테스의 각오는 매끈한 공간을 다시 포획하여 홈 패인 공간으로 만들려는 어떠한 시도에도 저항할 것임을 보여준다. 나아가 테스는 인간의 법을 넘어서지만, 그렇다고 인간의 법 너머에 있는 신의 법에 호소하는 것은 아니다. 전쟁기계로서 세상의 법을 휩쓸고 테스는 유목적 공간을 창조했지만 지상 너머의 더 높은 수준으로 초월하지는 않는다. 테스는 지상에서 탈영토화하지만 지상에 창조한 유목적 공간을 긍정한다.

4. 나가는 말

들뢰즈와 가타리가 말하는 여성-되기와 유목적 공간이라는 틀에서

토마스 하디의 『테스』를 검토했다. 이를 통해 테스에게 시선의 대상이나 성적 대상으로서의 수동적인 측면을 강조하던 기존의 비평에서는 부각되지 않던 주체로서 테스의 역량을 새롭게 조명했을 뿐 아니라 테스의 변화 과정과 그것의 의미를 밝혔다.

테스는 타락한 여성이라는 견고한 정체성을 탈주하여 들뢰즈가 말하는 여성-되기 과정을 보여준다. 머셀화이트는 들뢰즈와 가타리의 틀을 이용하기는 했으나 자연으로의 해체나 동물 되기를 지적하는 데 그치고 있는데, 여기에서는 이 작품의 핵심이기도 한 에인절과의 사랑 속에서 테스가 어떻게 여성-되기에 이르는지 세밀하게 분석했다. 테스가 에인절에 대한 사랑으로 인해서 타락한 여성이라는 견고한 정체성에서 완전히 탈주할 수 있음을 보여주었다.

테스의 여성-되기는 정체성의 변화에서 나아가 기존의 법과 제도를 파괴하고 유목적 공간을 창조하는 것으로 발전된다. 전쟁기계가 된 테스는 법이라는 홈 패인 공간을 파괴하고 매끈한 유목적 공간을 창조한다. 알렉을 살해하는 순간 테스는 법이라는 홈 패인 공간을 완전히 부인할 뿐 아니라 에인절과의 재결합으로 시간과 공간이 새롭게 배치된 평화롭고 달콤한 유목적 공간을 만들어낸다. 나아가 죽음 앞에서 테스는 어떠한 포획도 거부하고 지상 자체를 탈영토화하며 동시에 자신이 창조한 지상의 유목적 공간을 긍정한다.

■ 인용문헌

구니이치, 우노. 『들뢰즈, 유동의 철학』. 이정우・김동선 역. 서울: 그린비, 2008.

김진옥. 「『테스』에 나타난 침묵과 주이상스」. 『현대영어영문학』 59 (2015): 57-71.

들뢰즈, 질・펠릭스 가타리. 『천 개의 고원: 자본주의와 분열증』. 김재인 역. 서울: 새물결, 2001.

________・클레르 파르네. 『디알로그』. 허희정・전승화 역. 서울, 동문선, 2005.

장정희. 「토마스 하디 소설에 나타난 기독교 문화와 성」. 『근대영미소설』 7 (2000): 143-64.

조애리・김진옥. 「들뢰즈・가타리의 여성-되기와 전복」. 『페미니즘 연구』 16 (2016): 265-84.

Bchanman, Ian, and Claire Colebrook, ed. *Deleuze and Feminist Theory*. Edinburgh: Edinburgh UP, 2000.

Boumelha, Penny. *Thomas Hardy and Women*. Sussex: The Harveter P, 1982.

Chattopadhyay, Amrita. "Women in Victorian Society as Depicted in Thomas Hardy's Novels." *International Journal of Educational Planning and Administration* 1 (2011): 23-28.

Cummins, June. *'Fantastic Fulfillment', The Problematics of Female Coming-of-Age Narratives in the Modern British Novel*. Ph. d. dissertation. Columbia U, 1998.

Flieger, Jerry Aline. "Becoming-Woman, Deleuze, Schreber and Molecular Identification." *Deleuze and Feminist Theory*. Eds. Ian Buchanan and Claire Colebrook. Edinburgh: Edinburgh UP, 2000. 38-63.

Goode, John. *Thomas Hardy, The Offensive Truth*. Oxford: Basil Blackwell, 1988.

Hardy, Thomas. *Tess of the D'Urbervilles*. New York: Penguin, 1965.

Jackson, Lisa Hartsell. *Wandering Women, Sexual and Social Stigma in the Mid-Victorian Novel*. Ph. d. dissertation. U of North Texas, 2000.

Jordan, Jaime Lynn. *Being and Becoming, Literary Representations of Liminal Femininity in Nineteenth-Century Britain*. Ph. d. dissertation. U of Texas at Dallas, 2010.

Kimberly, Moore-Jumonville. *A Reappraisal of the "Weaker Sex", Conventional Morality and the Quest for Female Identity in the Novels of Thomas Hardy*. Ph. d. dissertation. Drew U, 1991.

Musselwhite, D. E. "Tess of the d'Urbervilles, 'A becoming woman' or Deleuze and Guattari go to Wessex." *Textual Practice* 14 (2000): 499-518.

Parr, Adrian. *The Deleuze Dictionary*. New York: Columbia UP, 2005.

Stubbs, Patricia. *Women and Fiction: Feminism in the Novel 1800-1920*. London: Methuen, 1981.

Yi, Hyang-Soon. "The Traveler as Messenger in Lady Gregory's Kincora and Dervorgilla." *The New Studies of English Language and Literature* 63 (2016): 247-68.

3

에밀리 디킨슨과 탈주선

1. 들어가는 말

대부분의 비평가들이 에밀리 디킨슨의 시에 나타난 부재와 상실과 포기에 초점을 맞추었다고 한다. 여성으로서 디킨슨의 심리에 관심을 두는 비평가의 경우에는 "자아 분열"(Kavaler-Adler 76)을 그녀의 시의 특징으로 본다. 그녀는 늘 "통합되지 않고 흡수되지 않는 대상에 사로잡혀 있는 느낌을 표현한다"(Kavaler-Adler 75)는 것이다. 최근 들어 디킨슨의 욕망이나 기쁨에 관심을 보이는 비평가들이 있다. 버빅Joan Burbick은 디킨슨의 시들이 가족과 친구의 사랑을 얻고자 하는 욕망을 주제로 하며 그것을 경제용어로 표현한 점을 지적한다. "이 서정적인 목소리는 노골적으로 가족과 친구의 사랑을 '축적하고' 싶어 하는 욕망을 표현한다. 금이나 비싼 보석으로 욕망대상을 묘사하는 부와 관련된 언어는 면밀하게 측정되는 상업적 부의 세계에 도전한다"(364-65). 기쁨을 연구한 비평가로는 주하즈Suzanne Juhasz와 제이프도우스카Magdalena Zapedowska가 있다. 주하즈는 그동안 주목받지 못하던 기쁨을 디킨슨 시의 중심에 놓은 점에서 높이 살 만하지만 디킨슨의 시에 나타난 기쁨을 "기쁨을 성취한 환상"(106)으로 평가한다. 제이프도우스카는 좀 더 적극적으로 기쁨을 레비나스적 관점에서 "행복과 원초적인 즐거움의 능력"(5)으로 접근한다. 제이프도우스카는 기쁨을 가장 강력하게 옹호하며 이를 철학적인 차원에서 해석해낸 점에서 디킨슨 비평의 새 장을 열었다고 할 수 있다. 그러나 이 기쁨을 들뢰즈적 관점에서 해석한다면 단순히 원초적인 기쁨을 맛보는 데서 그치지 않고 견고한 절편에서 탈주하고 나아가 내재성의 판에 새로운 배치를 제시하는 것으로 해석될 수 있다.

에밀리 디킨슨의 시를 들뢰즈적 관점에서 해석한 비평가로는 살빈 질크Salbine Sielke와 장철유가 있다. 전자는 그녀의 시를 들뢰즈적인 스크린으로, 후자는 들뢰즈의 시간 이미지와 대시의 관계를 집중적으로 탐색하고 있다. 그러나 두 비평가 모두 디킨슨의 욕망이나 기쁨에는 특별히 관심을 기울이지 않고 있다. 디킨슨의 시를 들뢰즈의 욕망이라는 틀에서 해석할 때 기존의 영토를 벗어나려는 탈주의 욕망으로 특징지을 수 있다. 들뢰즈와 가타리에 의하면 탈주하는 욕망은 "영토를 떠나는 운동"(Deleuze and Guattari 509)이다. 이때 영토는 국가, 계급, 제도뿐 아니라 개인 사이의 관계 및 느낌까지 포함한다. 디킨슨의 시는 이 영토를 떠나고자 하는 여러 종류의 시도로 보인다. 그녀는 이 영토에 단지 균열을 일으키기도 하고 탈주에 성공하기도, 다시 이 영토로 돌아오기도 하지만, 마침내 탈주에 성공하여 새로운 배치를 보여준다.

들뢰즈와 가타리는 세계를 배치로 보며 세계와 인간의 상호작용에는 세 종류의 선이 존재한다고 한다. "절편의 이항적 나무체계를 형성하는 '몰적 선', 아직은 절편에 속해 있지만 더 유동적인 '분자적 선', 그 둘을 모두 파괴하고 탈주하는 '탈주선'이 있다"(Parr 147). 몰적 선은 "견고한 분할선"으로, "한 절편의 시작과 끝, 한 절편에서 다른 절편으로의 이행을 계산하고 예견하는 것처럼 보인다"(Deleuze and Guattari 195). 견고한 몰적 선으로 둘러싸인 영토는 외관상 영원히 부서지지 않을 것처럼 보인다. 그러나 영토 속에는 견고한 몰적 선을 뚫고 나오려는 분자들의 움직임 내지 유연한 흐름이 있다. 이 흐름은 미시적인 균열을 가져오며 탈영토화하려는 비밀스러운 선, 즉 유연한 분할선을 형성한다. "유연한 분할선 또는 분자적 분할선인데, 여기서 절편은 탈영토화하는 양자다"(Deleuze and Guattari 196). 몰적 선에 "많은 발화와 대화, 물음과 답변, 끝없는 설명들, 수정들"이 있다면, 분자적 선에는 "해석을 요구하는 침묵들, 암시들, 함축들"이 있다"(Deleuze and Guattari 198). 마지막으로, 탈주선은 단순한 균열을 가져오며 이해할 수 없는, 해석될 수 없는 무엇으로 남는 것이 아니다. 그것은 단호하게 영토를 떠나는 진정한 단절 "절대적인 탈영토화"를 뜻한다. 탈주선은 "더 이상 절편을 허용하지 않고, 차라리 두 절편을 폭발하는 것 같다"(Deleuze and Guattari 376). 이때 한 집단이나 개인은 "탈주선을 따른다기보다 오히려 탈주선을 만들어 내며 그 자체가 살아있는 무기"(Deleuze and Guattari 204)가 된다. 그러나 탈주선이 항상 창조적인 생성에 도달하는 것은 아니다. 그것은 오히려 더 나쁠 수도 있다. 다시 블랙홀에 빠져버려 탈주하는 욕망이 재영토화되거나, 극단적인 퇴행을 보일 수도 있다. 여기서는 디킨슨 시에 나타난 몰적 선, 분자적 선 그리고 탈주선을 검토하고자 한다. 어떻게 견고한 절편에 균열을 가져오는 유연한 분자적 선을 형성하며 마침내 탈주선을 형성하게 되는지를 살펴보겠다. 이 탈주선이 때로는 실패하고 때로는 성공하는데, 실패할 경우 어떤 양상을 보이는지 분석한다. 마침내 탈주에 완벽하게 성공한 탈주선은 어떻게 개인뿐 아니라 세계를 변화시키며 그 새로운 배치는 어떤 특징을 갖는지 발견하고자 한다.

2. 디킨슨의 빛과 분자적 선

들뢰즈는 3개의 선에 대해 말하면서 위계적이고 이항대립인 부동의 질서를 몰적이라고 표현하는데, 디킨슨은 몰적 선을 빛으로 상징한다. 아래 시의 겨울빛은 처음부터 억압적으로 제시된다. 주어진 절편 안에서 할당된 몫의 삶을 살아가는 것은 "성당 음악처럼 무겁게" 느껴지고, 그 고통은 점점 심해질 뿐이다. 여기에는 탈주의 가능성이 거의 없다.

> 겨울 오후
> 한 줄기 빛이 비스듬히 비친다—
> 성당 음악처럼 무겁게
> 우리를 짓누른다—
>
> 천상의 상처를 입고도—
> 우리는 상처를 찾지 못하는데,
> 하지만 내면에서는 큰 차이가—
> 의미의 차이가 생긴다—
>
> 그것을 가르쳐 줄 사람은 없다— 아무도—

그것은 봉인된 절망이다—
대기 중에서 다가온
위압적인 고통이다—

There's a certain Slant of light,
Winter Afternoons—
That oppresses, like the Heft
Of Cathedral Tunes—

Heavenly Hurt, it gives us—
We can find no scar,
But internal difference—
Where the Meanings, are—

None may teach it— Any—
'Tis the seal Despair—
An imperial affliction
Sent us of the Air— (J 258)[5)]

빛이 무엇을 가리키는지 확실치 않고, 애매하다고도 할 수 있다. 그러나 여기서 우리가 주목하는 것은 빛이 주는 억압을 성당 음악과 연관시킨 점이다. 이때 성당 음악은 숭고함이나 위안이 아니라 억압과 연관되어 있다. 성당 음악은 성당, 나아가 종교의 환유가 된다. 이제 빛이라는 견고한 몰적 선은 종교를 포함한 제도와 동일시된다. 몰적 선으로 이루어진 위계질

5) Johnson 번호를 따름. Dickinson, Emily. *The Poems of Emily Dickinson*. Ed. Thomas H. Johnson. Cambridge: Harvard UP, 1955.

서는 화자의 정체성을 이 질서 안에 배치한다. "수목체계는 의미와 주체화의 중심을 포함하고 있는 위계적 체계로, 조직적인 기억처럼 중앙집중적인 자동장치다. 이 모델에서는 더 상위 집단에서 정보를 받을 뿐이며 주체적 정서 역시 미리 정해진 통로를 통해서만 영향을 받는다"(Deleuze and Guattari 16). 화자는 중심에서 지정한 주체성을 "미리 정해진 통로"만을 통해 받아들일 수 있을 뿐이다. 이러한 배치에서 화자는 억압감을 느낀다. 화자는 "하늘의 상처", "봉인된 절망", "위압적인 고통" 등 점점 더 강해지는 고통을 느끼지만 탈주의 가능성은 전혀 없다. 몰적 질서는 단지 제도뿐만은 아니다. 인간관계 역시 몰적 질서에 의해 규정된다. 이러한 위계질서에서 남성은 정점에 있고 그 중심점에 의해서 여성, 동물, 그리고 식물 같은 소수자의 정체성이 규정된다. 이를 호프만Daniel Hoffman처럼 기존 종교에 대한 비판으로 볼 수도 있다. 그는 디킨슨의 종교시가 "점잖은 기독교의 관행을 벗어난 지점"(Hoffman 207)을 가리킨다고 한다. 그러나 디킨슨은 당대의 기독교 관행을 비판하는 데 그치지 않고 종교 자체를 비판한다.

들뢰즈는 종교와 마찬가지로 결혼을 인간관계가 제도화된 견고한 절편의 대표적인 예로 본다. "결혼. 확고하게 결정되고 확고하게 계획된 영토의 전반적인 상호작용. 미래만 있을 뿐 어떤 되기도 불가능하다. 이것은 인생의 첫 번째 선인 절편의 몰적 선, 혹은 견고한 선이다. 이것은 우리의 인생을 점령하고 스며있고 늘 결국 지배하는 것처럼 보이므로 결코 죽은 선이 아니다"(Deleuze and Guattari 195). 디킨슨에게도 결혼은 견고한 절편으로 그것의 핵심은 교환과 계약이다.

나는 그에게 나를 주었고—
대가로, 그를 받았고,
인생의 엄숙한 계약이
이렇게 계약이 체결되었다—

I gave myself to Him—
And took Himself, for Pay,
The Solemn contract of a Life
Was ratified, this way— (J 580)

나는 그에게 나를 주었지만 대가로 그를 받는다. 엄숙한 계약이라고 하지만 여기서 강조점은 엄숙함이 아니라 "계약"이다. "계약"을 통해 사랑이 완벽하게 견고한 절편 속에 배치되었음을 말한다. "가부장적 이데올로기와 결합된 결혼이란 … 물화되고 소외된 관계인 것이다. 계약으로서의 결혼은 필연적으로 구속과 소외로 귀결되고 있다"(권현주 17). 이때 물화된 관계를 들뢰즈적 관점에서 해석하면 수목형인 위계질서에서 남성 지배/여성 피지배라는 배치를 받아들이는 것을 뜻한다.

그러나 일견 요지부동으로 보이는 견고한 정체성도 탈주하고자 하는 인간의 욕망에 의해 분자적 선을 형성한다. 이 선은 "거대한 단절이 아니라 접시의 균열처럼 미세한 균열이다. 그것들은 훨씬 더 섬세하고 유연하다"(Deleuze and Guattari 198). 그녀는 "미리 정해진 통로"를 거부하는데 그것은 처음에는 미세한 균열로 나타난다.

여름의 절정에 날이 밝았다.
완벽하게 나만을 위한 날이—

그런 일은 부활이— 일어나는 순간에—
성인들에게나 일어날 것이라고 생각했다

태양은, 여느 때처럼, 밝게 빛났고
꽃들은, 낯익은 모습으로, 피었다,
마치 만물이 새로워지는
하지가 없었던 것처럼—

There came a Day— at Summer's full—
Entirely for me—
I thought that such were for the Saints—
Where Resurrections— be—

The sun, as common, went abroad,
The flowers, accustomed, blew,
As if no soul the solstice passed
That maketh all things new— (J 322)

화자는 그들의 사랑을 성인의 부활에 비유하고, 이 비유를 통해 교회라는 견고한 절편에 균열이 일어난다. 교회에서 보면 "그런 날은 종교적으로 신성한 사람들, 즉 성인을 위해 준비되어 있지만"(Dhiel 4), 화자는 "'마치 만물이 새로워지는 / 하지가 없었던 것처럼—'이라는 부정 조건문을 써서"(Dhiel 4) 이런 전제를 부인하며 미세한 균열을 생성한다. 마지막 연에서 화자는 "서로가 서로에게 인증받은 교회였고, / 이—번에는— 교감을 허락받았다"(Each was to each— the sealed church— / Permitted to commune— this time—)고 하며 교회라는 말과 허락받았다는 말을 쓰지만, 교감이 핵심인 이 둘의 관계는 보수나 계약으로 이루어진 견고한 절편에 균열을 일으킨다. 그러나 "예수의 만찬에서 우리가 너무 어색해 보이지 않도록"(Lest we too awkward— show— / At "Supper of the Lamb")을 덧붙임으로써 여전히 기독교의 틀을 완전히 빠져나오지 못하는 면모를 보여준다.

디킨슨은 자연 속에서 유동적인 분자적인 선을 보여주는데, 이것 역시 빛으로 표현된다.

봄에 빛이 존재한다
한 해 중 다른 계절에는
존재하지 않는 빛이.
아직 3월이 채 되지 않을 때

호젓한 언덕에
하나의 색이 퍼진다
과학으로는 측정할 수 없지만
인간이 느끼는 색깔.

빛은 잔디밭을 방문하고
가장 멀리 떨어진 산등성이에 있는
가장 멀리 떨어진 나무를 보여준다.
빛은 거의 내게 말을 건다.

A light exists in spring
Not present on the year
At any other period.

When March is scarcely here

A color stands abroad
On solitary hills
That science cannot overtake,
But human nature feels.

It waits upon the lawn;
It shows the furthest tree
Upon the furthest slope we know;
It almost speaks to me. (J 812)

이때의 빛은 앞에서 살펴본 "겨울 오후 / 한 줄기 빛이 비스듬히 비친다—"의 빛과는 대조적이다. 여기서는 과학이 몰적 질서를 말한다면, 빛은 몰적 절편에서 탈주하는 분자적 선이다. "유연하지만 그렇다고 불안하지 않은 것이 아니라 오히려 더 불안한 이 분자적 선은 … 모든 것을 다른 차원에서, 나무 체계가 아니라 리좀적 차원에서 작동시킨다"(Deleuze and Guattari 199). 이 빛은 불안한 에너지로 모든 것을 유동적으로 만든다. 잔디는 다른 잔디가 되었고, 저 멀리 나무를 보여준다고 할 때 이 나무는 고정된 개체로서의 나무라기보다는 부유하는 색채와 빛으로 인해 다른 나무가 된다. 견고한 정체성에 균열이 생기고 유동적인 분자적 선이 생겨난 것이다. "거의 내게 말을 건다"는 것은 "위압적인 고통"을 겪는 정해진 절편 속에 갇힌 나의 정체성 역시, 나무나 잔디처럼 유동적으로 움직일 수 있다는 것을 뜻한다. 몰적 질서에 갇혀 있던 내면에 균열이 생기는 것을 의미한다. 그러나 이런 분자적 선은 순간적인 탈주에 지나지 않는다.

3. 탈주선과 재영토화

우리가 살펴보았듯이 분자적 선은 균열을 일으키는 데 그치고 견고한 질서 자체를 무너트리지 못하는 반면, 탈주선은 새로운 배치를 창조한다는 점에서 분자적 선과 다르다. 탈주선은 견고한 절편을 완전히 떠날 뿐 아니라 새로운 질서를 구성한다. 디킨슨은 이처럼 기존의 틀을 완전히 벗어나는 탈주선을 형상화한다.

흰빛을 내는 영혼을 볼 용기가 있느냐?
그럼 대장간 문 안에 쭈그리고 앉아라.
보통 불빛은 붉지만,
불타는 원석이 불보다

더 빛날 때는,
흔들리는 원석이
어떤 색도 띠지 않고
성유를 바르지 않은 불꽃의 빛이 된다

DARE you see a soul at the white heat?
Then crouch within the door.
Red is the fire's common tint;
But when the vivid ore

Has sated flame's conditions,
Its quivering substance plays
Without a color but the light

Of unanointed blaze. (J 365)

이 빛에 대해서 케이블러-아들러는 "'흰빛을 내는 영혼'이 되기 위해 육체를 벗어나고자 했던 여성이 인간으로서의 주체성을 잃고 해체된다"(76)고 해석하며 그 이유를 충분히 애도하지 못하기 때문이라고 한다. 그러나 케이블러-아들러의 해석과는 달리, 이 빛은 부정적인 의미에서 퇴행적 단계의 파편화된 자아를 뜻하는 것이 아니다. 이때 자아 해체는 오히려 새로운 정체성의 창조를 의미한다. 새로운 탈주선을 뜻하는 원석의 빛은 보통 불빛과 다른 빛이고 색깔이 없다. 이것은 이 빛이 이미 용광로 안에서 규정되는 몰적 선이 아님을 시사한다. 특히 디킨슨은 "성유를 바르지 않은"이라는 단어를 선택하고 있다. 이것은 이 빛이 종교적인 제도가 강요하는 정체성을 넘어섰음을 뜻한다. 이것은 앞 시의 "겨울 오후 / 비스듬히 비치는 빛"과는 달리 이 빛은 "용광로보다 더 빛날 때까지" 타오른다. 이 빛은 보통 불빛과는 완전히 다른 새로운 빛으로 용광로라는 견고한 절편을 전면 거부하고 떠나는 탈주선이 된다.

대장장이는 이 안달이 난 원석을
망치와 불꽃으로 제련한다.
마침내 빛이 용광로보다 더 빛날 때까지.

Refining these impatient ores
With hammer and with blaze,
Until the designated light
Repudiate the forge. (J 365)

그러나 이러한 탈주선을 형성했다고 해서 늘 탈주에 성공하는 것은 아니다. 오히려 "최악에 이를 수가 있다. 벽에 부딪쳐 튕겨져 나와, 블랙홀로 추락하고 극단적인 퇴행의 길로 가고, 가장 견고한 절편을 복구하는 예상 밖의 반전을 보인다"(Deleuze and Guattari 205). "다른 일이―시작되었다"(J 430)라고 선언하고 시작하는 다음 시에서 탈주선은 견고한 절편의 파괴로 어마어마한 기쁨을 가져온다.

나는 너무나 기뻐서― 말했듯이―
순진하게 뺨이 빨개졌고―
눈에도― 기쁨이 드러난 것을 느꼈다―
누가 말할― 필요도 없었다―

나는 걸었으나― 날개가― 내 몸에 달려―
예전에 쓰던― 발은―
이제 내겐― 필요 없었다―
새에게― 발이― 필요 없듯이―

I'd so much joy―I told it―Red―
Upon my simple Cheek―
I felt it publish―in my eye―
'Twas needless―any speak―

I walked―as wings―my body bore―
The feet―I former used―
Unnescessary―now to me―
As boots―would be―to Birds

나는 새-되기에 성공한다. 이것은 단순히 새와 같이 자유로워졌다는 비유가 아니다. "동물-되기는 인간이라는 지배적 기준에서 탈주하면서 인간/동물이라는 이항대립을 파괴하는 것이다. … 동물-되기는 모방이나 동일시가 아니고 동물과 같은 강도로 자신을 변형시키는 것이다. 다시 말해 동물의 신체에 감응할 수 있는 속도와 힘"(조애리 · 유정화 257)을 갖게 되는 것이다. 그녀는 새의 동작과 속도를 공유함으로써 새가 된다. 그녀의 과거 존재는 모두 파괴되고 그녀는 새의 속도와 강렬함을 갖게 된다. 새-되기를 통하여 그녀는 단지 자신만의 견고한 정체성을 벗어나는 것으로 끝나는 것이 아니라 세계의 배치를 바꾸려고 한다. 이제 그녀와 접촉하는 세계는 더 이상 과거의 견고한 질서가 아니라 새로운 세계로 변화하는 것이다.

나의 기쁨을 온 세상에 알렸다—
만난— 모든 사람에게
황금의 말을 전달했고
모든 세상 사람들에게—유산을 주었다—

I put my pleasure all abroad—
I dealt a word of Gold
To every Creature—that I met—
And Dowered—all the World— (J 430)

여기서 세계를 변화시키는 도구가 되는 것은 "황금의 말"이다. "'나의 기쁨을 온 세상에 알렸다—'고 말하는 순간 의식이 자아를 넘어서고 언어가 확대된다. 이러한 언어를 통해서 시인은 루카치가 말하는 '자아-내재성'에

이른다"(Diehl 5). 그러나 탈주선은 항상 성공하는 것이 아니다. 그것은 "가장 견고한 절편의 복구"(Deleuze and Guattari 205)로 끝나기도 한다. 여기서 디킨슨의 탈주는 절편으로 복구하고 만다.

> 삼베옷이—못에 걸려 있다—
> 전에 내가 입던 작업복이—
> 하지만 아름다운 무늬의 옷을 입던 순간은 어디에—
> 나의—인도—장신구는?

> The Sackcloth—hangs opon the nail—
> The Frock I used to wear—
> But where my moment of Brocade—
> My—drop—of India? (J 430)

"전에 내가 입던 작업복"은 그가 과거의 정체성으로 돌아갔다는 것의 환유가 된다. "아름다운 무늬의 옷을 입던 순간"이나 "나의-인도-장신구"는 탈주의 자유로운 순간을 뜻하지만, 그것은 일시적이고 곧 사라지며 화자는 다시 과거의 견고한 절편에 갇히게 된다.

하지만 디킨슨은 다시 한번 영혼의 탈주를 시도한다. 영혼은 폭탄처럼 순간적으로 폭발해 견고한 절편을 완전히 파괴하고 탈주한다.

> 영혼은 도피의 순간을 가진다—
> 모든 문을 벌컥 열고—
> 그녀는 폭탄처럼 밖에서 춤을 추고,
> 시간 위에서 흔들린다.

장미 속에 오래 갇혀 있다가—
환희에 차 날아오르는—
벌처럼—
자유를 만지고—그다음엔 더 이상 모른다,
그러나 정오와 천국—

The soul has moments of escape—
When bursting all the doors—
She dances like a Bomb, abroad,
And swings upon the Hours,

As do the Bee—delirious borne—
Long Dungeoned from his Rose—
Touch Liberty—then know no more—
But Noon, and Paradise— (J 512)

영혼이 보이는 에너지에 대해서 오맬리Maria O'Malley는 이것을 "파괴적 에너지"(71)로 보는 반면, 와이즈버치Robert Weisbuch는 "황홀경에 빠진 춤추는 폭탄"(123)으로 간주한다. 다음 연과 연결해서 생각할 때 와이즈버치의 관점이 더 타당하다. 영혼은 오랫동안 장미 속에 갇혀 있다가 빠져나와 "자유를 만지는" 벌에 비유되며, 벌과 마찬가지로 영혼은 "정오와 천국"만을 안다. 정오와 천국은 기존의 견고한 절편과는 전혀 다르며 "환희"와 "자유"로 특징지어지는 새로운 배치다. 그녀는 앞선 시에서 "황금의 말"을 전해 세계를 바꾸려고 했지만, 이 시에서는 이미 바뀐 세계 속에 있다. 부정적 에너지로 찼다는 오맬리의 평가와는 달리 이 황홀경의 힘은 배치를 바꾼 새로운 세계를 구성했다.

그러나 이렇게 한 발 더 진전된 탈주 역시 실패로 끝나고 영혼은 재영토화된다. 발에는 "수갑"이 채워지고, 노래에는 "철심"이 박힌 상태가 된다.

> 영혼은 다시 처음 순간으로 돌아간다–
> 중죄인으로 끌려가서,
> 깃털이 난 발에는 수갑을 차고
> 노래 속에도 철심을 박은 채

> The Soul's retaken moments –
> When, Felon led along,
> With shackles on the plumed feet,
> And staples, in the song, (J 512)

그러나 앞의 시들과 비교할 때, 이 시에서 탈주는 훨씬 더 강력하며 탈영토화 후 우리 앞에 펼쳐진 세계 역시 훨씬 더 새로운 창조적 배치이다.

4. 탈주선과 내재성

탈주선은 떠나온 영토로 돌아가 재영토화하는 모습을 보이기도 하지만, 디킨슨은 동시에 탈주에 성공한 탈주선도 아름답게 재현한다. 거친 밤-되기를 보여주는 아래 시는 성공적인 탈주선을 생생하게 묘사한다.

거친 밤이여—거친 밤이여!
내 그대와 함께 있다면
우리의 사랑을 불태울
거친 밤일 텐데!

소용없다—바람이여—
항구에 정박한 사람에겐—
나침반도 필요없다—
지도도 필요없다!

Wild Nights—Wild Nights!
Were I with thee
Wild Nights should be
Our luxury!

Futile—the winds—
To a heart in port—
Done with the compass—
Done with the chart! (J 249)

여기서 나는 "거친 밤이 된 나"(Haferkamp 67)로 "사랑을 불태울" 것이며 견고한 절편에서 단호하게 탈주한다. 이 탈주선의 행로는 나침반이나 지도로 측정할 수 있는 것이 아니다. 이에 대해 주혁규는 "안전한 항구를 떠나, 나침반도 없이 지도에 나타나지 않은 곳으로의 욕망"(주혁규 92)을 나타낸다고 한다. 그러나 그녀는 항구를 떠난다기보다 연인이라는 항구에 정박한 배로 비유되어 있고, 거친 밤과 같이 욕망으로 가득 차 있다고 보는 것이 더 정확할 것이다. 이때 주체는 이것임haecceity의 상태, "바람, 강, 날, 날의 시간"(Deleuze and Parnet 155) 같은 사건이 된 상태다. 나침반도 지도도 필요 없는 주체는 사람이 아니라 사건으로서의 "나"이다. 이런 나는 그 자체로 "살아있는 무기"(Deleuze and Guattari 204)이다.

탈주선에 대한 가장 큰 오해 중 하나는 그것이 초월이라고 생각하는 것이다. 들뢰즈의 탈주선은 초월이 아니라 내재적이다. "내재성과 초월의 구분이 들뢰즈 철학에서 가장 중요하다"(Parr 125-26). 다음 시에서 화자는 견고한 위계질서에서 완벽하여 탈주하여 내재성의 판에서 체험하는 삶의 환희와 역량을 보여준다.

나는 커다란 진주 잔으로
아무도 빚은 적 없는 술을 마시네.
프랑크푸르트의 산딸기를 모두 모아도
이런 술은 빚을 수 없네

나는 공기에 취했고
나는 이슬 먹은 바람둥이.
끝없이 긴 여름날 내내
녹아버린 하늘 술집에서
휘청거리며 나오네.

만취한 벌을 술집 주인이
폭스글로브 바깥으로 쫓아버리고
나비가 꿈을 포기할 때도,
나는 자꾸 더 마실 거라네.

천사들이 새하얀 모자를
흔들고, 성인들이 창가로 달려와
만사냐닐라주에 취해 비틀대는
작은 주정꾼이 태양에 기댄 것을 볼 때까지!

I taste a liquor never brewed—
From Tankards scooped in Pearl—
Not all the Frankfort Berries
Yield such an Alcohol!

Inebriate of air—am I—
And Debauchee of Dew—
Reeling—thro' endless summer days—
From inns of molten Blue—

When "Landlords" turn the drunken Bee
Out of the Foxglove's door—
When Butterflies—renounce their "drams"—
I shall but drink the more!

Till Seraphs swing their snowy Hats—
And Saints—to windows run—
To see the little Tippler
Leaning against the—Sun!! (J 214)

1연에서 탈주는 취한 상태로 표현되어 있다. 프랑크푸르트의 포도들이 언급되어서 언뜻 술에 취한 상태라고 생각할 수 있으나 그의 술집은 "녹아버린 하늘", 즉 여름 더위에 달궈져 녹아버린 하늘이고 그가 마신 술은 "공기"와 "이슬"이다. 따라서 "그 술은 화자가 무한정 즐길 수 있게 많다"(Zapedowska 8). 이렇게 취한 상태의 화자는 "폭스그로브 바깥으로 쫓겨나는 만취한 벌"이나 "꿈을 포기한 나비"와는 다르다. 그는 기쁨으로 가득 찬 현재 자신의 상태를 즐긴다. 이때 그가 즐기고 머물러 있는 장소는 초월적인 천상이 아니라 지상에 뿌리를 둔 내재성의 판이다. 제이프도우스카는 이 시의 화자가 초월을 무시하는 점을 지적한다. "이 시의 마지막 이미지는 '작은 주정꾼'인데, 그는 초월이나 사회적인 의무는 행복하게 잊은 상태에서 '천사'와 '성인'을 무시하면서 계속 관능적 쾌락에 탐닉한다"(Zapedowska 8). 이런 쾌락의 가장 중요한 속성은 내재성이고, 내재성이야말로 들뢰즈의 탈주선의 핵심으로, 내재성의 판에서 체험하는 역량의 증가가 중요하다. 내재성의 판에서는 "다양한 공생 속에서 이질적인 것들이 효과적으로 기능하는데"(Deleuze and Guattari 251), 이 시에서 하늘, 이슬, 대기, 햇살이라는 다양한 요소들이 공생하고 있다.

디킨슨에게 지상은 초월을 준비하는 곳이 아니다. 나아가 디킨슨은 초월보다 오히려 내재성이 더 우월함을 보여준다.

살아있는 것은— 힘이다—
존재— 그 자체가—
더 이상 유능하지 않아도—
충분히— 전지전능하다—

살아있다는 것— 그리고 의지!

신과 같은 능력을 가지고 있으며－
우리의－조물주가－누구든 간에－
그런 존재는 유한하다!

To be alive－is Power－
Existence－in itself－
Without a further function－
Omnipotence－Enough－

To be alive－and Will!
'Tis able as a God－
The Maker－of Ourselves－be what－
Such being Finitude! (J 677)

그녀는 "살아있는 것"이 "전지전능"이라는 대담한 선언으로 시작한다. 그녀는 초월과는 전혀 무관하게 현재 존재하고 있는 내재성의 판이 전부이며 "전지전능"을 느낀다. 이런 힘은 디킨슨 자신의 개인적인 체험에서 나온 것이기도 하다. "1870년 8월 홈스테드에서의 첫 번째 인터뷰에서 디킨슨은 히긴스에게 '산다는 것에서 황홀경을 발견해요－살아있다는 느낌만으로도 충분한 기쁨이죠'라고 했다고 한다"(Zapedowska 10). 디킨슨은 내재성을 긍정할 뿐 아니라 나아가 신-무한/인간-유한의 구도를 전복시킨다. "우리의－조물주가－누구든 간에－그런 존재는 유한하다!" 그녀는 오히려 신의 차원이 유한하다고 지적하며 내재성은 초월보다 우위에 있음을 강조한다.

주체는 눈송이-되기라는 탈주선을 보여줌으로써 "위도와 경도 그리고 속도와 이것임"(Deleuze and Guattari 266)만으로 이루어진 내재성을 구체적으로 형상화한다. 처음 화자는 주체로서 대상으로서의 눈을 관찰하고 묘사한다.

나는 눈송이를 세고 있었다.
실내화를 신고 도시를 깡충 대며 다닐 때까지는—
그러고 나서 그 반란자들을 적어두려고
나는 연필을 잡아들었다—
그러자 눈송이는 점점 더 아주 즐거워했고
나는 잔소리꾼이 되길 포기했다—
그리고 위풍당당한 내 열 발가락은
지그 춤을 추려고 가지런히 늘어서서 준비한다.

I counted till they danced so
Their slippers leaped the town—
And then I took a pencil
To note the rebels down—
And then they grew so jolly
I did resign the prig—
And ten of my once stately toes
Are marshalled for a jig! (J 36)

제이프도우스카는 화자의 관점이 중간에서 변화해서 "이성적인 설명 대신 춤의 매력적인 움직임에 빠진다"(5)라고 지적한다. 그러나 들뢰즈적 관점에서 볼 때 화자는 단순히 눈송이 매료되어 그것을 즐기는 것이 아니라, 견고한 정체성이 해체되고 화자 자신이 눈송이와 같은 속도와 같은 움직임을 갖게 된다. 그녀는 스스로 탈주선, 내재적 판에서의 몸이 된다. 여기서 화자는 어떤 매개도 거치지 않고 "주어진 운동과 정지, 빠름과 느림과 관계하는 물질적 요소 총합(경도)과 주어진 잠재성의 힘이나 정도에서 발휘될 수 있는 강렬한 어펙트 총합에 의해 결정된다"(Deleuze and Guattari 260). 화자는 눈송이의 속도와 어펙트를 갖고, 나와 눈은 말벌과 서양란의 관계와 같은 결연[6]을 보인다. 나와 눈의 결합은 탈주선을 형성하여 화자뿐 아니라 눈송이 "둘 다의 탈영토화를 가능하게 한다"(Deleuze and Guattari 293). 눈과 나는 더 이상 눈이라는 대상과 인간 주체가 아니라 같은 춤의 움직임과 속도를 함께함으로써 모두 탈영토화된다. 이 탈주선은 나와 눈을 단순히 연결하거나 섞어버리는 것이 아니다. 오히려 나와 눈, 둘 다 식별 불가능한 "공통의 근방역"(Deleuze and Guattari 294)으로 간다. 자연과의 결연은 디킨슨의 힘과 기쁨의 내재성을 잘 보여주는 한 예이다.

5. 나가는 말

기존의 에밀리 디킨슨 시 비평에서는 기쁨에 초점을 맞춘 비평가도 있었으나, 그녀는 주로 고통과 부재와 상실의 시인으로 평가되어 왔다. 여기서는 들뢰즈의 탈주선 관점에서 그녀의 기쁨이 어떻게 기존의 위계적 질서로부터 탈주한 탈주선을 이루며, 나아가 새로운 내재성의 판을 창조

---

6) 들뢰즈와 가타리는 결연을 다음과 같이 설명한다. "말벌과 서양란이 하나 되는 되기의 선, 혹은 블록은 둘 다를 탈영토화시킨다. 말벌의 경우에는 자신의 생식에서 해방되어 서양란의 생식기관이 되고, 서양란 역시 자신의 생식에서 해방되어 말벌의 오르가슴 대상이 된다"(Deleuze and Guattari 293).

하는지 살펴보고 있다. 탈주의 시도에 있어서 디킨슨은 들뢰즈가 말하는 견고한 몰적 선, 분자적 선, 탈주선을 모두 보여준다. 그녀의 시는 견고한 절편의 균열로 시작하여 탈주와 재영토화를 거쳐 마침내 성공적인 탈주에 이르는 과정을 보여준다.

디킨슨은 우선 종교와 결혼이라는 견고한 절편의 억압을 형상화하고 있다. 종교의 억압성은 "겨울 오후의 빛"으로 상징되고 결혼은 "대가"가 핵심을 이루는 "계약"으로 제시된다. 그러나 일견 영원해 보이는 이 제도들이 늘 견고할 수는 없다. 견고한 절편에는 유연하고 유동적인 미시-균열이 생긴다. 그녀는 사랑과 결혼을 표현함에 있어 종교적 비유를 가져옴으로써, 종교라는 큰 절편을 완전히 벗어나지는 못했으나 거기에 균열을 가져온다. 사랑과 헌신이 핵심인 결혼은 기존의 제도에 균열을 일으킨다. 자연에서 봄의 빛은 분자적인 선을 형성한다. 그것은 과학적이고 객관적인 세계를 뒤흔들고 견고한 정체성을 부정한다. 이처럼 견고한 질서를 완전히 벗어난 것은 아니지만 기존의 종교와 결혼으로는 해답이 될 수 없다는 인식 아래 이를 해체하는 시도를 보여주고 있다.

탈주선은 견고한 절편을 완전히 벗어난다. 그것은 존재의 힘을 증강시킨 에너지로 나타난다. 그동안 갇혀 있는 자아나 구속되어 있는 영혼은 견고한 절편의 배치를 완전히 벗어나 탈주하는 탈영토화를 보여준다. 그러나 이런 탈주선이 항상 성공하는 것은 아니다. 폭발적인 에너지로 창조적 파괴와 더 강해진 역량을 보여주었던 영혼은 결국 수갑을 차는 것으로 끝난다. 이는 들뢰즈가 말하는 재영토화를 보여준다. 탈주선은 블랙홀로 추락하여 퇴행함으로써 오히려 기존의 제도와 구속을 더 강력하게 만든다.

마침내 탈주선은 완벽한 탈영토화에 성공하며 새로운 배치를 창조하고 내재적 차원에 존재한다. 화자가 느끼는 기쁨은 하늘, 이슬, 대기, 햇살이라는 다양한 요소가 공생하는 내재성의 고른 판에서 가능하며, 그의 전지전능에 비하면 초월적 차원이 오히려 유한하다. 내재성이 초월보다 우월하다는 역전이 일어난다. 눈의 경도와 위도를 가지고 눈과 같은 어펙트를 지니는 눈송이-되기에 성공한 화자는 눈과의 결연을 통해 내재성의 힘을 생생하게 보여준다.

이 글의 의의는 들뢰즈적 관점에서 디킨슨의 시를 해석함으로써 그동안 간과되었던 디킨슨의 탈주의 욕망과 내재적 존재론을 드러낸 데 있다. 탈주의 욕망은 분자적 선과 탈주선으로 나타나며 탈주선은 때로 재영토화되기는 하지만, 마침내 탈주에 성공했을 때는 종교와 결혼 같은 제도를 파괴할 뿐 아니라 새로운 배치를 창조한다. 이것은 다양한 요소가 존재하는 고른 판인 내재성의 판이다. 여기서는 인간의 사물-되기와 사물의 인간-되기의 결연이 생성되고 이때 느끼는 전능함은 내재성의 우월함을 드러낸다.

■ 인용문헌

권현주. 「에밀리 디킨슨 시의 현대성-자본주의의 상업화와 가부장적 이데올로기에 대한 저항과 승리」. 『인문과학연구』 24 (2010): 5-29.

조애리 · 유정화. 「들뢰즈의 소수자-되기와 문학」. 『현상과 인식』 40 (2016): 251-71.

Burbick, Joan. "Emily Dickinson and the Economics of Desire." *American Literature* 58.3 (1986): 361-78.

Deleuze, Gilles, and Felix Guattari. *A Thousand Plateaus, Capitalism and Schizophrenia*. Trans. Brian Massumi. Minneapolis: U of Minnesota P, 1987.

Deleuze, Gilles, and Claire Parnet. *Dialogues*. Trans. Hugh Tomlinson and Barbara Habberjam. New York: Columbia UP, 1987.

Dickinson, Emily. *The Poems of Emily Dickinson*. Ed. Thomas H. Johnson. Cambridge: Harvard UP, 1955.

____________. *The Poems of Emily Dickinson*. Ed. R. W. Franklin. 3 vols. Cambridge: Harvard UP, 1998.

Diehl, Joanne Feit. "The Ample Word: Immanence and Authority in Dickinson's Poetry." *The Emily Dickinson Journal* 14 (2005): 1-11.

Haferkamp, Leyla. "Analogon Rationis: Baumgarten, Deleuze and the 'Becoming Girl' of Philosophy." *Deleuze and Guatarri Studies* 4 (2010): 62-69.

Hoffman, Daniel. "Emily Dickinson: The Heft of Cathedral Tunes." *The Hudson Review* 50 (1997): 206-26.

Jang, Cheol-U. "Deleuzian Time-Image in Emily Dickinson: Dash/Death between Immortality and Eternity." 『현대영미시연구』 23.2 (2017): 229-55.

Johnson, Thomas H., and Theodora Ward, ed. *The Letters of Emily Dickinson*. 3 vols. Cambridge, MA: Harvard UP, 1958.

Juhasz, Suzanne, Cristanne Miller, and Martha Nell Smith. *Comic Power in Emily Dickinson*. Austin: U of Texas P, 1993.

Kavaler-Adler, Susan. "Visions of the Self Women, the Instinctual Self, and the Demon Lover."

American Journal of Psychoanalysis 55 (1995): 73-81.

O'Malley, Maria. "Dickinson's Liberatory Poetics." *The Emily Dickinson Journal* 18 (2009): 63-76.

Miller, Cristanne. *Emily Dickinson, A Poet's Grammar*. Cambridge, MA: Harvard UP, 1987.

Parr, Adrian, ed. *The Deleuze Dictionary*. Edinburgh: Edinburgh UP, 2005.

Weisbuch, Robert. *Emily Dickinson's Poetry*. Chicago: U of Chicago P, 1972.

Zapedowska, Magdalena. "Citizens of Paradise: Dickinson and Emmanuel Levinas's Phenomenology of the Home." *Emily Dickinson Journal* 12 (2003): 69-92.

__________________. "Dickinson's Delight." *The Emily Dickinson Journal* 21 (2012): 1-24.

2부

여성과 향유

4

「노란 벽지」에 나타난 상징계와 상징계 너머

1. 들어가는 말

1970년대 페미니스트 비평의 부상과 함께 길먼Charlotte Gilman의 「노란 벽지」"The Yellow Wallpaper"는 가장 중요한 고전 중 하나가 되었으며, 페미니스트 비평가들의 관심을 끈 것은 휴식 요법rest cure이 대표하는 가부장적 질서에 대한 여주인공의 저항이었다. 길버트와 구바Sandra Gilbert and Susan Gubar가 이 작품을 "사회의 억압적 구조"(90)에 대한 여성의 숨겨진 저항으로 파악한 이래, 페미니스트적 시각에서 좀 더 구체적으로 이를 의료와 연관시키거나 푸코적인 감시와 훈육과 연관시킨 비평이 있어 왔다. 트라이칠러Paula A. Treichler는 의료 언어가 어떻게 여성에게 억압적으로 작용하는지에 관심을 두었고, 나아가 콰워스Rula Quawas는 여주인공의 광기를 당대의 의료와 강요된 여성성에 대한 저항으로 분석하고 있다. 푸코적 관점을 적용하여 이 작품에 나타난 여성의 억압기제를 면밀하게 분석한 비평으로는 박John S. Bak의 연구가 있다. 그는 "남성이 강요하는 구속, 파놉티콘"(40)이 여성을 어떻게 감시하며 억압하는지 밝히고 있다. 필자 역시 푸코적 관점에서 "정상적인 여성성을 만들어가는 근대적 훈육의 실패와 그 훈육에 대한 저항을 담고 있다"(100)고 평가했다. 이들은 각자의 방식으로 가부장적 억압과 여성의 저항이라는 이원적 대립을 그리고 있다. 이들의 연구로 인하여 이 소설이 단순히 여성의 광기를 그린 것이 아니라 가부장제라는 더 큰 사회 구조적인 문제에 대해 의문을 제기하고 있음이 밝혀졌다. 그러나 여주인공이 보이는 변화 과정은 가부장적 억압과 저항이라는 이원적 구조만으로는 설명되지 않는 측면이 있다. 라캉Jacques Lacan의 개념을 도입하여 이 작품을 분석한다면 억압과 저항이라는 이원적 대립의 도식을 넘어서서 여주인공의 변화를 더 섬세하게 분석할 수 있을 것이다.

「노란 벽지」를 본격적으로 라캉적인 틀에서 분석한 기존의 연구로는 수어스Babara A. Suess의 연구를 들 수 있다. 그녀는 이 작품을 라캉의 정신병을 문학적으로 재현한 것으로 평가한다. 즉 여주인공이 상징계the symbolic에 진입하는 데 성공했는지 여부에 초점을 맞추어 분석한 후, 아직 거울 단계에 머물러 있는 정신병자라고 결론짓는다. 여주인공은 상징계에 들어가지 못하고, 따라서 아버지의 이름Name of the Father을 받아들이지 못한 폐제상태foreclosure에 있다는 것이다. 다시 말해, 여주인공이 언어의 영역에 들어가서 아버지의 이름과 연관을 갖는 데 실패하고 벽지에서 라캉의 거울단계에 상응하는 자아상을 본다는 것이다. 거울 단계에서는 "총체적 형태"에서 "파편화된 신체 이미지"까지 나타나는데, 이 여주인공은 파편화된 신체 이미지에서 자신을 보며 이 단계에 고착되어 있다고 한다

(Suess 92-93).

이처럼 수어스는 여주인공을 상징계에 진입하지 못한 폐제상태의 정신병자로 규정하고 있다. 그러나 상징계의 증상symptom 분석과 아울러 상징계 너머의 세계, 즉 실재의 핵심을 이루는 충동drive과 주이상스jouissance 라는 후기 라캉의 개념을 도입할 때 여주인공의 내면적 갈등과 성취를 좀 더 잘 이해할 수 있을 것이다. 초기 라캉이 환자의 증상을 언어로 해석하여 환자를 상징계에 적절하게 통합시키는 것을 목표로 삼았다면, 후기 라캉은 증환sinthome이란 신조어를 사용하며 상징계에 포괄될 수 없는 충동과 주이상스 자체를 있는 그대로 드러내는 것이 정신 분석의 역할이라고 보았다. 본 연구에서는 이 작품이 처음에는 상징계에서의 증상 분석으로 시작하여 상징계 너머의 증환을 드러내는 것으로 접근하고자 한다. 우선 일기 쓰기의 의미를 상징계와 연관시켜 살펴보고자 한다. 일기 쓰기에 대해 페미니스트 비평에서는 가부장제에 대한 저항만을 강조하고 수어스는 아버지의 이름을 대타자로 받아들이지 못하는 것으로 보지만, 여기에서는 여주인공이 일기를 쓸 때 정신분석가의 위치에서 자신의 증상을 분석하는 것으로 접근할 것이다. 나아가 여주인공이 어떻게 상징계와 완벽한 동일시에서 비롯된 소외에서 벗어나 상징계에서 분리되고 어떻게 증환, 즉 충동과 주이상스의 독특한 조직을 드러내는지 검토하고자 한다.

2. 상징계와 증상의 분석

수어스는 「노란 벽지」의 여주인공을 원초적인 기표인 아버지의 이름을 받아들이지 못하는 정신병자로 간주한다. 상징계에 들어가는 것은 아버지의 이름을 법으로 인정하는 것이며 특히 자신의 욕망을 언어화하는 것인데, 정신병자는 사회 및 언어와 '정상적인' 연관을 갖지 못한다. "정신병자는 자신만의 상징계를 시작 혹은 구축하려는 사람"(78)이라는 월쉬의 분석에 기초하여 수어스는 여주인공을 상징계에 들어가지 못한 상태이고 벽지 속의 여성들은 거울에 비친 그녀의 왜곡된 자아상으로 간주한다. 그러나 여주인공의 상태는 거울 단계에 고착되어 상징계에 진입하지 못한 것이라기보다는, 상징계에 진입했으나 신경증을 앓는 것으로 볼 수 있다. 라캉은 상징계에 진입하지 못한 환자를 정신병자로, 상징계에 진입했으나 상징적 질서와 적절한 관계를 맺지 못한 환자를 신경증 환자로 구분한다. 신경증 환자인 히스테리 환자는 극단적으로 상징계와 자신을 동일시하여 상징계의 욕망이 무엇인지만을 묻는 소외된 주체이다. 히스테리 환자인 여주인공은 끊임없이 아버지의 이름이 무엇을 원하는지 알아내려고 하며 이런 지나친 동일시로 인해 완벽한 소외 상태에 있다. 그럼에도 불구하고 남편이 여주인공에게 강요하는 휴식 요법은 시간·공간적인 면에서 여성의 자율성을 전혀 허용하지 않고 아버지의 이름을 절대적으로 따르게 하는 것으로 오히려 히스테리 증세를 악화시킨다.

여주인공은 휴식 요법에 맞추어 철저하게 남편이 정해준 스케줄을 따라야 한다. 그녀에게는 "하루 매 시간 정해진 처방"7)이 있다. 이처럼 여성의 자율성을 전혀 허용하지 않는 남편 존John의 명령은 곧 아버지의 이름을 대표한다. 아버지의 이름은 "실제 아버지를 뜻하지 않고, 아이의 욕망을 금지하기 위해 개입하는 상징계의 법"(호머 100)을 뜻한다. 그녀

---

7) Charlotte Perkins Gilman, "Yellow Wallpaper," Cynthia Griffin Wolff ed., *Four Stories by American Women Novelists* (Harmondsworth: Penguin, 1990), 43. 이후 본문 인용은 괄호 속에 쪽수만 표시함.

는 이 유아실 벽지가 마음에 들지 않는다며 아래층에 있는 방으로 옮겨달라고 하지만 남편은 그녀를 "귀여운 작은 거위"(44)라고 부르며, 한번 부탁을 들어주면 아마 "무거운 침대, 그 다음에는 창문, 그 다음에는 층계참에 있는 문 등"(44)을 바꾸어 달라고 요구할 것이라며 거절한다. 그리고 이러한 거부에 마침표를 찍듯이 그녀를 이층으로 데리고 가서, "옆에 앉아서 내 머리가 지칠 때까지 책을 읽어준다"(48). 그가 책을 읽어주는 것은 상징계의 법을 주입하는 과정으로 볼 수 있다. 존은 상징적 질서가 완벽하다고 생각하고 그녀에게 강요하지만, 그로 인해 여주인공은 전혀 숨쉴 공간을 갖지 못하는 철저하게 소외된다. 지젝Slavoj Zizek의 말대로, 상징계를 완벽한 구조로 상정할 경우 "주체에게 열린 유일한 가능성은 대타자 속에서의 완전한 소외"(Zizek 1989, 122)이기 때문이다.

이때 남편은 의사로서의 권위를 강조하며 그녀의 증상을 진단하고 처방한다. 여주인공이 남편에게 이 집을 떠나게 해달라고 재차 부탁하자, 남편은 "당신이 알든 모르든 정말 당신은 낫고 있어. 나는 의사야. 그리고 알아"(49)라고 대답한다. 의사의 처방은 인간의 몸에 나타나는 현상을 '증상'이라는 기호로 번역하는 것인데, 열, 피로, 과민, 창백함 등의 기호를 해석하는 의학적 처방은 보통 남성의 담론보다 권위 있는 언어이며, 처방은 하나의 선고가 되어 버린다(Treicheler 201). 그러나 여주인공은 남편의 치료를 믿지 않는다. 그녀는 스스로 라캉이 말하는 정신분석가가 되어 자신의 증상을 언어화하려고 애쓴다. 이것은 길먼 자신이 받은 미첼S. Weir Mitchell의 휴식 요법 치료에 바탕을 두고 있다.

이 현명한 사람이 나를 침대에 눕히고는 휴식 요법을 썼어요. 아직은 건강이 괜찮은 상태라 곧 반응을 보이자, 별 문제가 없다고 집으로 가보라고 하면서 엄숙하게 충고를 곁들이더군요. "가능한 한 가정생활에 충실하십시오", "지적인 일은 하루에 두 시간만 하십시오", "살아있는 동안 다시는 펜이나 붓이나 연필을 들지 마십시오" 등 말이에요. 이게 1887년 일이었어요. 집으로 돌아가 한 석 달 정도 이런 지시를 따랐어요. 그리고 거의 완전히 미쳐버릴 뻔 했어요. 그러고 나서 현명한 친구의 도움을 받아 그 유명한 전문가의 충고를 완전히 무시하고 아직 남아있는 지적인 힘을 모두 발휘해 다시 일을 시작했어요—일, 모든 사람이 하는 정상적인 생활, 즉 일 말이에요. (Gilman 1992, 51)

길먼처럼 소설 속의 여주인공 역시 남편이 금지하는 지적인 일을 한다. "그렇게 하지 않으면, 강력한 반대에 부딪치기 때문에 아주 교활하게 굴어야 해"(42)라고 하며 일기를 쓴다. 이 행위 자체는 일견 상징계의 법에 저항하는 것으로 보이지만 더 심층적으로 보면 길먼의 글쓰기나 여주인공의 일기 모두 상징계와 적절한 관계를 맺기 위한 노력이다. 상세하게 분석하지는 않지만 데이비슨Carol Magaret Davison은 일기를 정신 분석이라고 지적하는데, 이는 여주인공의 일기 쓰기를 이해하는 데 중요한 실마리를 제공한다. 라캉에게 "증상은 철두철미한 의미작용"(Lacan 1998, 320)이며, "언어처럼 구조화되어 있어서 전적으로 언어분석을 통해서만 증상이 해소된다"(Lacan 1977, 59). 라캉의 관점에서 보면 여주인공은 상징계에 진입했지만 대타자와 적절한 관계를 맺지 못한 것이 문제이며 일기 쓰기는 증상의 분석 과정이다. 여기서 증상을 언어화하는 일이 중요한 것은 라캉의 말대로 상징계의 무의식이 언어처럼 구조화되어 있기 때문이다. 여주인공이 상징계와 적절한 관계를 맺기 위해서는 자신의 증상을 언어적으로 표현하는 것이 꼭 필요한데, 여주인공은 일기를 통해 끊임없이 그 일을 수행하는 것이다. 따라서 일기 쓰기는 수어스의 해석처럼 상징계에 저항하는 것이기보다는 히스테리를 극복하고 상징계에 성공적으로 통합되고자 하는 시도이다.

증상을 분석하고 분석의 끝에서 상징계에 통합되기 위해, 여주인공은 우선 상징적 질서가 부가하는 법을 이해하려고 한다. 그녀는 "왜 이걸 써야 하는지 모르겠다"(48)고 하면서도 자신의 혼란을 자세히 기록한다. 벽지는 "어설픈 분명치 않은 곡선"(43)으로 되어 있고 갑자기 "들어보지 못한 모순"(43)으로 사라져버린다. 이런 혼란을 이해하기 위해 그녀는 자신이 알고 있는 "방사, 변화, 반복, 대칭의 법칙들"(47)을 모두 적용시켜 보지만 어떤 법칙이나 원리로도 이 벽지의 무늬를 이해할 수 없다. 이처럼 그녀는 상징계의 메시지를 해독하기 위해 혼신의 힘을 기울인다. 그녀는 "법칙"이 의미하는 상징계의 법, 즉 아버지의 이름을 이해하고 기표인 자신을 고정시킬 누빔점을 발견하려고 한다. 하지만 기표의 의미는 정해진 것이 아니고 그 아래로 끊임없이 기의가 미끄러진다. 라캉이 "누빔점이라고 부르는 순간이 있는데, 이것은 기의가 기표 아래에서의 끊임없는 미끄러짐을 멈추고 잠시 안정된 의미 작용이 가능해지는 지점이다. 누빔점은 문자 그대로 소파나 매트리스에서 볼 수 있는 겉 천이나 커버에 달린 일종의 단추를 가리키는데, 이것은 속 내용물을 고정시키기 위해 사용된다" (호머 82). 그러나 여주인공은 자신의 정체성을 고정시킬 누빔점도, 상징적 질서의 패턴도 발견하지 못한 채 계속 혼란스러워 한다.

이런 좌절에도 불구하고 여주인공은 계속해서 벽지의 패턴, 즉 상징계의 질서를 발견하려고 계속 노력하며 또한 이를 기록하려고 한다. 이 행위 자체로 인해 여주인공은 "예전보다 이제 삶이 훨씬 흥분되고"(52), 실제로 정신적 · 육체적 건강을 되찾는다. "나는 정말 전보다 더 잘 먹고 더 조용해졌다"(52)고 한다. 그녀는 철창과 그 뒤에 있는 여성을 발견한다.

> 달이 뜰 때는 밤새도록 달이 빛나고 있어, 달빛에 비추어서 그것이 같은 벽지가 아님을 알았다. 황혼이든, 촛불이든, 전등 빛이든, 가장 약한 달빛이든 어떤 종류의 빛이 비치든, 밤이 되면 그것은 철창이었다! 바깥 쪽 패턴이 그렇다는 말이고 그 뒤에는 그 여자가 있는 것이 아주 똑똑하게 보였다. 나는 오랫동안 뒤에 있는 흐릿한 패턴이 무엇인지 알지 못했으나, 이제 보니 그것은 여자인 게 분명했다. (51)

그녀가 분석해낸 패턴은 상징적 질서 속에 자리매김된 여성이라고 할 수 있다. 마침내 무의미한 선 사이에서 해독해낸 여성의 모습이라는 패턴은 견딜 수 없고 받아들일 수 없는 그녀 자신의 현실"(Kolodney 157)이기도 하다. 초기 라캉은 상징계의 법과 적절한 관계를 맺게 되면 분석이 끝나고 환자는 성공적으로 상징계에 통합되는 것으로 보았다. 이것이 라캉이 초기에 히스테리 환자의 증상을 치료할 때 목표로 했던 것이다. 히스테리는 "근본적으로 대타자에게서 온 메시지"(Voruz 67)를 적절하게 해석하지 못한 상태이며, "언어화를 통해 해석되는 순간, 증상은 저절로 사라져 버리기 때문이다"(Zizek 1989, 73). 여기서 여주인공은 정신분석가처럼 증상을 언어화했으며 증상이 사라지고 상징적 질서에 통합되어야 한다. 창살로 표현된 법은 그녀에게 구속이며 동시에 그녀의 존재 조건임을 깨닫고, 이를 받아들여야 한다. 그러나 여주인공은 증상 분석이 끝난 후에도 상징계에 포괄될 수 없는 잔여가 있음을 발견한다.

3. 실재와 증환

벽지로 상징되는 상징계를 읽어내려는 노력에도 불구하고 여주인공은 상징계가 완벽하지 않음을 깨닫게 된다. 벽지의 패턴을 읽어내려고 노력하는 중, 그녀는 상징계 자체에 결여가 있으며 상징계에 포괄될 수 없는 무엇인가가 있음을 발견한다. 이것은 증상 분석의 관점에서는 실패지만 동시에 여주인공이 상징계의 결여를 깨닫는 순간이기도 한다. 지젝의 말대로 라캉 이론의 가장 급진적인 차원은 "상징적 질서 자체도 또한 어떤 근본적인 불가능성에 의해 빗금 그어져 있으며, 어떤 불가능한 외상적인 중핵, 중심의 결여를 중심으로 구조화되어 있다는 점을 깨달은 데 있다"(Zizek 1989, 122). 여주인공은 남편이 강요하는 법, 즉 아버지의 이름으로도 해석되지 않을 뿐 아니라 자신이 언어적으로 분석해낸 패턴에도 포괄되지 않는 무엇인가가 있음을, 즉 상징계가 완벽하지 않음을 깨닫는다.

이 무엇인가가, 이 잔여가 라캉이 말하는 상징계 너머에 있는 실재다. 지젝에 따르면 "바로 이러한 잔여는 프로이트가 말하는 충동과 연관되어 있다. 충동은 이런 잔여 주위를 빙빙 돌고 그 주변에서 요동친다" (Zizek 1989, 123). 이 지점에서 초기 라캉이 목표로 했던 언어화를 통한 증상의 해소라는 도식이 깨지고 상징계에 포괄되지 않는 잔여인 실재가 드러난다. 상징계의 메시지 코드를 읽어내는 순간 증상이 해소되고 그것으로 분석이 끝난다고 믿었던 초기와는 달리, 후기 라캉에는 "상징화를 거부하는 불가능한 중핵"(Zizek 1999, 31)을 표현하는 증환이라는 신조어가 등장한다. 이제는 언어처럼 구조화된 무의식이 아니라 상징화를 거부하는 충동과 주이상스를 드러내는 것이 후기 라캉의 주요 관심사가 된다.

이제 여주인공은 증상 분석의 한계를 깨달은 동시에 증환을 드러낸다. 증환은 처음 시선과 냄새라는 충동으로 나타난다. 그녀는 벽지가 자신을 바라보고 있다고 느끼는데, 이 시선이 바로 상징계에 포괄되지 않는 무엇인가이다. 처음 벽지를 관찰하기 시작했을 때부터 벽지가 그녀를 바라보고 있으며 "마치 자신이 얼마나 내게 악영향을 끼치는지 아는 것처럼 보인다"(45). 그리고 "튀어나온 두 눈동자가 거꾸로 매달려 바라보며"(45), 어디를 가도 그녀를 따라다니는데, 이것은 "이미 그녀가 볼 수 없는 곳에서 그녀를 바라보고 그녀를 전적으로 무력하게 만드는 시선"(Zizek 1999, 15)이다. 즉 여주인공을 보는 것은 맹점盲點이고 이 맹점盲點에서 시선이 나오는 것이다. 여기서 「노란 벽지」는 상징적 질서에 포괄될 수 없는 맹점, 즉 실재인 것이다. 이러한 시선과 마주치는 순간 "상징계 메커니즘의 자동적인 순환은 붕괴된다"(Zizek 1989, 171). 이제 여주인공은 더 이상 상징계는 완벽하지 않음을 깨닫고 거기에 포괄될 수 없는 충동이 있음을 받아들인다.

시선과 아울러 상징계 너머에 존재하는 실재를 확인케 해주는 또 하나의 충동은 냄새다. 냄새는 집안 전체에 퍼져 있다.

> 그것은 식당을 서성이다, 거실에 잠복해 있다가, 홀에 숨어 있다가, 계단에서 나를 기다리기도 한다. 그것은 내 머리카락 속으로도 스며들었다. … 그것은 나쁘지 않았다. 처음에는. 그리고 아주 점잖다. 그러나 가장 기묘하고, 가장 오래 가는 냄새이기도 하다. (52)

이 냄새는 그녀가 이해할 수 없는 "기묘한" 것이지만 동시에 강렬하다. 그것은 "거실", "홀", "계단" 등 모든 곳에 스며 있으며 심지어 "머리카락"에 스며 들어 그녀의 일부가 되는 것처럼 느껴진다. 프로이트가 말한 충동 대상에 라캉은 시선과 목소리를 더했는데, 지젝은 여기에 냄새를 추가한다. 지젝에 의하면 라캉은 충동을 일으키는 "프로이트의 부분대상 목록(젖가슴, 대소변, 페니스)을 목소리와 시선이라는 또 다른 두 가지 대상으로 보충했다. 여기에 냄새를 추가해야 할 것 같다"(Zizek 2013, 654)고 한다. 냄새는 벽지의 패턴으로 파악되는 상징질서에 포괄될 수 없는 충동을 효과적으로 보여준다. 이 냄새는 "언어로 표현하여 상징화하려고 아무리 노력한다 해도 항상 … 남는 잔여"(호머 156)이며 여주인공이 아무리 노력을 해도 떨쳐버릴 수 없는 충동이다.

「노란 벽지」의 시선 그리고 냄새와 아울러 가장 중요한 증환은 벽지 속 여성과 나아가 여주인공이 보여주는 여성적 주이상스다. 이제 여주인공은 벽지 밖으로 나와 정원을 거니는 여성을 발견하는데, 그녀는 상징계의 법으로 이해되던 벽지의 창살에 갇혀 있는 여성과는 대조적으로 민첩하게 움직인다.

> 나는 그녀가 나무 그늘 아래 긴 오솔길을 기어서 오르내리는 모습을 본다. 그녀가 음침한 포도나무 정자에 있다가 정원 주위 곳곳을 기어 다니는 모습을 본다. 나무 아래 긴 길 위를 기어 다니는 그녀가 보인다. 그러다 마차가 오면 그녀는 블랙베리 넝쿨 아래 숨는다. 나는 그녀를 전혀 비난하지 않는다. 환한 데 기어 다니다가 잡히면 얼마나 수치스럽겠는가! 환할 때 나는 늘 문을 잠그고 기어 다닌다. 밤에는 그럴 수가 없는데 존이 곧 의심할까 싶어서이다. (53)

벽지 속의 여성은 상징계 너머에 있는 주이상스의 기표이다. 이 기표는 상징계 안의 기의로는 잠시도 고정될 수가 없다. "어두운 포도나무 정자", "정원 곳곳", "나무 아래", "블랙베리 덩쿨 아래" 있는 그녀의 모습은 상징계 너머에서 충동을 구체적이고 생생하게 재현하고 있다. 상징계의 관점에서 본다면 이 여성은 동물에 가깝지만 주이상스로 가득 차 있다. 하지만 아직 여주인공은 자신은 낮에는 "문을 잠그고 기어다닌다"며 벽지

속의 여성과 자신을 구별 짓는다. 벽지 속의 여성과 부분적으로만 동일시하던 여주인공은 마침내 완전히 동일시한다. 그 여성을 해방시키는 가운데 여주인공 스스로가 좀 더 적극적으로 주이상스의 주체로 태어난다. "내가 잡아당기면 그녀는 흔들고, 내가 흔들면 그녀는 잡아당기고, 아침이 되기 전에 우리는 그 벽지를 몇 야드나 벗겨냈다"(55). 이제 여주인공이라는 기표는 무력한 유아적 여성이라는 누빔점에 고정되어 있지도, 일기를 통하여 해석된 창살에 갇힌 여성도 아니다. 그녀는 더 이상 상징계 안의 기표가 아니고 상징계를 넘어서서 주이상스에 찬 존재가 된다. 여성적 주이상스의 절정은 마지막 문단에 나타난다.

> "무슨 일이야?" 그가 외쳤다. "도대체 당신 무슨 짓을 하고 있는 거야!" 나는 하던 대로 그냥 기어 다니면서 어깨 너머로 그를 바라보았다. "나 드디어 나왔어요." 내가 말했다. "당신과 제인의 반대를 무릅쓰고요. 그리고 내가 벽지 대부분을 벗겨냈으니, 당신은 나를 도로 집어넣을 수 없어요!" 그런데 저 남자가 왜 기절한 거지? 그는 기절했고, 그것도 벽 옆의 내 길목을 가로질러서 쓰러지는 바람에 나는 매번 그의 위로 기어 넘어야 했다! (56-57)

이 여성에 대해 로저스Annie G. Rogers는 심리적 분열에서 광기로 악화된 것으로 보고, 수어스 역시 라캉의 거울단계에 고착된 정신병자로 본다. 수어스는 제인이 "왜 이 사람은 기절했지?"라고 의아해하면서 "그의 위로 기어 넘는" 이 짧은 순간에 존이 대표하는 질서, 즉 자신을 억압해온 질서를 전복시키는 점은 인정하면서도 이어서 이를 승리라고 볼 수는 없다고 평가한다. 오히려 "마지막 제인의 모습은 처음보다도 자유롭지 못하며"(Suess 95) 심해진 정신병 때문에 가부장적 체제에서 더 큰 고통을 받을 것이라고 결론을 내린다. 그러나 로저스나 수어스의 해석처럼 이 여주인공은 상징계 진입에 실패한 정신병자는 아니다. 오히려 그녀는 증환을 드러내고 있다. 다시 말해, 그녀는 상징계 너머에 있는 여성적 주이상스를 생생하게 체현하고 있다. 라캉은 여성적 주이상스를 이렇게 정의한다.

> 베르니니의 조각을 보면 … 즉시 그녀가 느끼고 있음을 이해할 수 있을 것이다. 여기에는 의심의 여지가 없다. 그녀가 무엇에 빠져 있는가? 분명한 것은 신비주의자들이 공통적으로 증언하는 바와 같이, 그들이 경험하지만 전혀 알지 못한다는 것이다. (Lacan 1998, 76)

테레사의 경우와 마찬가지로 제인이 느끼는 주이상스는 상징계 너머에 있는 언어로 표현될 수 없는 황홀경이다. 그녀가 살게 될 세계 또한 그녀에게 강요되던 인위적인 가정성 너머의 "은유적인 초록색 정원, 부활하는 여성적 세계"(Hume 18)일 것이다. 길먼은 이처럼 소설의 끝에서 주이상스로 찬 여성주체와 그가 살게 될 풍요로운 세계를 제시하고 있다. 증환을 중심에 둔 심리분석은 독특한 주이상스의 조직을 환자에게 제시해줌으로써 이와 더불어 살아가게 하는 것이다. "이제 라캉이 정의하는 정신분석의 궁극적인 순간은 증환과 동일시하는 것이 된다"(Zizek 1999, 31). 여주인공은 여성적 주이상스를 상징계로 해석되지 않는 광기로 보는 것이 아니라 그것과 더불어 살아가야 하는 것이다. 길먼은 휴식 요법을 거부하고 일하는 것으로 자아를 찾았지만, 여주인공은 더 나아가 상징계 너머의 실재를 대면하고 여성적 주이상스를 자신의 존재의 핵심으로 받아들인다. 지젝은 라캉의 주이상스에 대해 "더 이상 주이상스는 의미화 망에 뚫린 검은 구멍이 아니다. 반대로 상징적 질서 자체가 난황색 주이상스의 바다에 잠겨 있는 기표의 섬으로 축소된다"(Zizek 1999, 26)라고 한다. 「노란 벽지」의 마지막 장면은 존이 지배하는 상징계가 향유에 찬 세계의 극히 사소한 일부임을 보여주며 동시에 주이상스가 스민 실재인 풍요로운 세계를 생생하게 드러내고 있다.

4. 나가는 말

이 장은 여주인공을 상징계에 진입하지 못한 정신병자로 보는 기존의 라캉적 분석을 비판하는 데서 출발한다. 수어스가 여주인공을 폐제상태의 정신병자로 평가한 데 반해 여기에서는 여주인공을 상징계에 진입했으나 제대로 통합되지 못한 히스테리 환자로 보았다. 히스테리 환자의 경우 상징계와의 지나친 동일시를 빠져나와 상징계와 적절하게 관계를 맺어야 하는데, 그를 위해 여주인공이 정신분석가의 위치를 점하고 일기를 통해 스스로 자신의 증상을 분석한 점에 주목했다. 또 하나 여기에서 새로 밝혀낸 점은 여주인공이 느끼는 충동이나 환희를 라캉이 말하는 증환으로 본 점이다. 즉 여주인공의 증상 분석 실패는 실패가 아니고 상징계의 결여를 발견하고 나아가 상징계 너머의 주이상스를 드러내는 계기가 된 것으로 평가했다. 여주인공은 상징계에 포괄되지 않는 충동과 주이상스가 존재의 핵심인 것을 안 순간 상징계에서 분리되며, 나아가 상징계 너머의 주이상스가 스민 더 풍요로운 세계에서 새로운 존재가 된다.

일기는 남편의 통제에 대항하는 저항으로만 해석되어 왔는데 더 중요한 것은 일기 쓰기가 증상 분석을 통해 상징계에 통합되려는 시도라는 점이다. 일기를 쓰는 단계에서 여주인공은 상징계에 통합되는 방법을 모색한 것이지 상징계 자체를 부인하는 것은 아니다. 극단적인 수동성과 무력함을 강요하는 휴식 요법 대신 그녀는 상징적 질서 속에 적절하게 자리매김되고자 한 것이다. 증상 분석으로서 일기의 기능은 철창이나 여성의 패턴 등 상징계의 메시지 코드를 적절하게 읽어내려는 것이었고, 여주인공은 이처럼 자신의 증상을 언어화하는 가운데 상징계에 성공적으로 통합하려고 시도했다.

그러나 이러한 증상 분석에도 불구하고 여주인공은 상징계에 포함될 수 없는 잔여인 실재인 주이상스에 직면한다. 상징계에 포괄될 수 없는 충동인 시선이나 냄새를 통해 상징계의 결여와 잔여가 드러나고 마지막 장면의 여성 주체는 결여를 뛰어넘는 주이상스의 기표를 생생하게 체현하고 있다. 언어화될 수도, 상징계에 포함될 수도 없는 주이상스는 쾌적한 것만은 아니고 고통스러우며 동시에 황홀한 경험이다. 마지막 장면에 이르면 여주인공이 중심에 있는 주이상스의 세계가 바다가 되고, 존이 지배하는 상징계는 그 안에 떠 있는 작은 섬으로 축소된다.

■ 인용문헌

조애리. 『19세기 영미소설과 젠더』. 서울: L.I.E., 2010.

지젝, 슬라보예 · 레나타 살레츨. 『사랑의 대상으로서 시선과 목소리』. 라깡정신분석연구회 역. 서울: 인간사랑, 2010.

호머, 숀. 『라캉 읽기』. 김서영 역. 서울: 은행나무, 2014.

Bak, John S. "Escaping the Jaundiced Eye: Foucauldian Panopticism in Charlotte Perkins Gilman's 'The Yellow Paper'." *Studies in Short Fiction* 31 (1994): 39-46.

Davison, Carol Margaret. "Haunted House/Haunted Heroine: Female Gothic Closets in 'The Yellow Wallpaper.'" *Women's Studies: An Inter-Disciplinary Journal* 33 (2004): 47-75.

Fetterley, Judith. "Reading about Reading: 'A Jury of Her Peers,' 'The Murders in the Rue Morgue,' and 'The Yellow Wallpaper'." *The Captive Imagination, A Casebook on "The Yellow Wallpaper."* Ed. Catherine Golden. New York: The Feminist P at the City U of New York, 1992. 250-60.

Gilbert, Sandra M., and Susan Gubar. *The Madwoman in the Attic: The Woman Writer and the Nineteenth-Century Literary Imagination*. New Haven: Yale UP, 1979.

Gilman, Perkins Charlotte. "Yellow Wallpaper." *Four Stories by American Women Novelists*. Ed. Cynthia Griffin Wolff. Harmondsworth: Penguin, 1990.

______________________. "Why I Wrote 'The Yellow Wallpaper." *The Captive Imagination, A Casebook on "The Yellow Wallpaper."* Ed. Catherine Golden. 51-53.

Hume, Berverly A. "Managing Madness in Gilman's 'The Yellow Wall-Paper'." *Studies in American Fiction* 30 (2002): 3-20.

Kolodny, Annette. "A Map for Rereading: Or, Gender and the Interpretation of Literary Texts." *The Captive Imagination, A Casebook on "The Yellow Wallpaper."* Ed. Catherine Golden. 149-67.

Lacan, Jacques. *Écrits: a Selection*. Trans. Alan Sheridan. London: Tavistock Publications, 1977.

____________. *The Seminar of Jacques Lacan, Book XX: Encore, On Feminine Sexuality, The Limits of Love and Knowledge 1972-1973*. Ed. J.-A. Miller. Trans. B. Fink. New York: Norton,

1998.

___________. *The Seminar, Book II: The Ego in Freud's Theory and in the Technique of Psychoanalysis, 1954-1955*. Trans. Sylvana Tomaselli. New York: Norton, 1988.

Nadkarni, Asha. "Reproducing Feminism in 'Jasmine' and 'The Yellow Wallpaper'." *Feminist Studies* (2012): 218-44.

Quawas, Rula. "A New Woman's Journey into Insanity, Descent and Return in 'The Yellow Wallpaper'." *AUMLA: Journal of the Australasian Universities Modern Language Association* (2006): 33-53.

Rogers, Annie G. "In the 'I' of Madness, Shfting Subjectivites in Girl's and Women's Psychological Development in 'The Yellow Wallpaper'." *Analyzing the Different Voice: Feminist Psychological Theory and Literary Texts*. Eds. Jerilyn Fisher and Ellen S. Silber. Lanham, Md.: Rowman & Littlefield, 1998. 45-66.

Suess, Barbara A. "The Writing's on the Wall: Symbolic Orders in 'The Yellow Wallpaper'." *Women's Studies, An Inter-Disciplinary Journal* 32 (2003): 79-97.

Treicheler, Paula A. "Escaping the Sentence, Diagnosis and Discourse in 'The Yellow Wallpaper'." *The Captive Imagination: A Casebok on The Yellow Wallpaper*. Ed. Catherine Golden. 191-210.

Voruz, Veronique, and Bgodan Wolf eds. *The Later Lacan, An Introduction*. Albany: SUNY P, 2012.

Walsh, Michael. "Reading the Real in the Seminar on the Psychoses." *Criticism and Lacan*. Eds. Patrick Colm Hogan and Lalita Pandit. Athens: U of Georgia P, 1990. 64-73.

Zizek, Slavoj. *Less Than Nothing, Hegel and The Shadow Of Dialectical*. London: Verso, 2013.

__________. *The Sublime Object of Ideology*. London: Verso, 1989.

__________. *The Zizek Reader*. Eds. Elizabeth and Edmond Wright. Oxford:Blackwell, 1999.

5

냄새와 주이상스: 「에밀리를 위한 장미」

1. 들어가는 말

에밀리Emily의 집에서 나오는 냄새는 일견 마지막 장면의 호머Homer 시체를 미리 알려주는 구성상의 기능만 하는 것처럼 보인다. 석회를 뿌린 후 "일이 주 정도 지나자 사라졌던"(123) 냄새의 정체는 작품 끝에서 호머 시체에서 나온 냄새로 밝혀진다. 그러나 냄새가 시체의 전조로서 구성상의 기능만 하는 것일까? 물론 전체적으로 서스펜스를 높이는 것은 사실이지만 냄새는 그 이상의 의미를 갖는다. 냄새가 사라졌다는 말에도 불구하고 석회를 뿌리고 나오는 마을 사람들의 모습에서 느껴지는 불안은 작품 전체를 불안정하게 만들고, 호머의 시체임이 밝혀졌다고 해서 이 불안이 완전히 사라지는 것은 아니다. 마지막에 에밀리가 시간자屍姦者로 밝혀졌음에도 불구하고 여전히 해결되지 않은 무언가가 남는다.

냄새가 중요함에도 불구하고 많은 비평가들이 냄새의 의미를 해석하기보다는 이 이야기의 미스터리 플롯에 초점을 맞춘다. "호머의 시체를 발견하는 데 초점이 맞추어진 미스터리"(Sullivan 162)로 보거나 초점과 서술자를 구분하여 "호머의 살인에 초점이 맞추어져 있고, 서술자는 의식적인 목소리로 이야기 서술한다"(Curry 397)고 본다. 이런 비평들에서는 냄새가 미스터리의 실마리로 축소된다. 해리스Harris는 "이 이야기의 진실은 미스터리 플롯이 풀린다고 해서 밝혀지는 것은 아니다"(171)라고 적절한 지적을 하지만 냄새의 의미를 심층적으로 분석하지는 않는다. 미스터리 플롯에 대한 비평은 살인의 동기에 대한 탐색으로 이어진다. 알렌의 지적대로 "많은 비평이 그녀의 행동의 일관된 이유를 알아내고 동기를 발견하려고 한다"(Allen 688). 그리고 살인 동기에 대한 답은 오이디푸스 콤플렉스로 모아진다. 에밀리는 오이디푸스 콤플렉스에 고착되어 있고 "아버지에 대한 욕망이 대리자인 호머 베른에게 전이되었다"(Scherting 399)고 보는 셔팅의 입장이 대표적이다. 아슨버그와 쉬프터Arensberg and Schyfter 역시 오이디푸스 콤플렉스를 호머 살해의 동기로 본다. "원 장면을 재신비화해서 사체성애적 관계로 변화"시키고 "사체성애의 환상 속에서 원래 아버지의 대리자와의 관계가 가능해진다"(131)고 한다. 알렌은 에밀리의 욕망에 사회적인 맥락을 부여하려고 하지만 그 역시 욕망의 핵심을 오이디푸스 콤플렉스로 본다. "근친상간적 고착은 … 폐쇄적인 귀족세계의 적합한 은유"(Allen 689)이다. 그러나 에밀리가 시체가 된 호머에게 집착하는 이유를 오이디푸스 콤플렉스의 틀 안에서 해석해내는 기존의 비평으로는 에밀리의 심리나 호머와의 관계가 완전히 이해되지 않는다.

여기서는 에밀리의 욕망이 오이디푸스 콤플렉스에 갇혀 있다기보다 오히려 그 틀 너머에 있다고 본다. 에밀리의 욕망은 상징질서에 완전히 포괄될 수 없는 잉여 향락으로, 언어로 표현되길 거부하고 냄새로 재현된다는 것이 이 글의 출발점이다. 라캉의 주이상스 개념으로 냄새를 분석할 때 에밀리의 욕망을 기존의 비평과는 다른 새로운 시각에서 이해할 수 있을 것이다. 라캉은 심리에 대해 상상계, 상징계, 실재를 설정하고 이 세 차원이 보로매우스 매듭Borromean Knot처럼 겹쳐서 나타난다고 한다. 상징계는 언어에서 법까지 광범위한 사회체계를 가리킨다. 주체로서 우리는 이름, 젠더, 인종, 사회적 지위 등으로 상징계에 등록되어 있다. 그러나 상징계는 완벽하지 않고 우리의 존재를 모두 설명해주지 못하며 이러한 상징계의 공백이나 결여 혹은 잉여를 설명해주는 것이 실재다. 후기 라캉은 주체만 빗금 쳐진 것이 아니라 상징계도 빗금 쳐진 것으로 완벽하지 못하다는 데 주목한다. 그는 상징계 너머에 존재하는 실재에 초점을 맞춘다. 상징계에 초점을 맞춘 증상 분석에서 출발했던 라캉의 정신분석은 후기에 이르면서 실재의 증환 분석에 집중한다. 이때 증환은 주이상스의 차원이며, 후기 라캉이 혁명적인 것은 주이상스를 인정한 점이다. 후기 라캉의 관심은 "암호화된 메시지인 증상에서 … 향락이 스며든 글자인 증환으로 옮아간다. 증환은 본질적으로 … 모든 상징화를 거부하는 환원 불가능한 주이상스의 중핵이다"(Zizek 1999, 13). 처음 라캉은 "분석의 목표는 환자가 증상의 의미를 언어화할 수 있도록 하는 것"(지젝 2002, 133)이고 언어화를 통해 증상은 저절로 사라져버린다고 했으나, 후기 라캉은 증상의 해석이 아니라 주이상스가 스며있는 기표 "주이-상스jouis-sense, 즉 의미 속에 향락을 간직하고 있는 기표"(지젝 2002, 134)인 증환과의 동일시를 목표로 한다.

여기서는 라캉의 주이상스로 「에밀리를 위한 장미」를 분석하고자 한다. 우선 마을 사람들의 눈에 비치는 에밀리, 즉 상징계에서 에밀리의 위치를 살펴보겠다. 이어서 에밀리 그리고 마을 사람들과 관련하여 냄새가 무엇을 의미하는지 분석하겠다. 끝으로 냄새와 관련하여 포크너는 어떤 위치에 있는지 평가하겠다.

2. 에밀리와 누빔점

이 이야기의 중심에는 에밀리가 아니고 에밀리를 해석해내려는 마을 사람들이 있다. 1인칭 화자는 "제퍼슨의 일반적인 목소리를 대변하는 것처럼 보인다"(Millgate 272). 에밀리에 대한 마을 사람들의 관심은 강박적이라고 할 정도다. 그들은 "에밀리 집에서 일어나는 수수께끼 같은 행동에 대해 반복적으로 이야기하고 해석하려고 한다"(Schyfter 126). 독자는 에밀리의 감정이나 내면적인 갈등에 대해 에밀리 자신으로부터 아무것도 듣지 못하며 그녀와 마을의 관계에 대해서도 마을 사람들의 일방적인 관점만 듣는다.

마을 사람들에게 에밀리는 해석이 잘 되지 않는 기표인데 그들은 어떻게든 이 기표를 자신들의 상징질서 안에 누빔점으로 고정시키려고 한다. 1장의 "첫 문단에서는 마을, 두 번째 문단에서는 집의 외부, 세 번째 문단에서는 에밀리의 과거"(Curry 400)를 보여준다는 지적처럼 마을에서 집으로, 집에서 에밀리로 점점 더 에밀리에게 초점이 맞추어진다. 처음 소개될 때 마을 사람들에게 에밀리가 지니는 의미는 "기념비"이자 "전통"이고 좀 더 자세히 말하자면 "전통이자 의무"(119)다. 경제적으로 어려워진 에밀리의 체면을 살리기 위해 "1894년 시장이던 사토리스 대령이 세금을 면제해준 그 날부터 마을에 세습된 일종의 의무였다"(120). 과거 부유한

남부 귀족이었던 에밀리가 이제는 오히려 마을의 의무가 되어버린 상태다. 이때 독자는 경제적인 몰락으로 이해한다. 그러나 이들의 관심이 단지 경제적인 것만이 아님은 집의 묘사에서 드러난다. 이들의 관심은 에밀리의 욕망에 집중되어 있다.

> 그 집은 우아한 70년대 스타일의 네모반듯한 저택으로 둥근 지붕과 뾰족탑과 소용돌이 무늬가 새겨진 발코니로 장식되어 있었고, 과거 최고의 거리였던 곳에 자리잡고 있었다. 그러나 주차장과 면직공장이 침범해 들어오고 이웃 명사들의 집까지 다 사라졌다. 에밀리 양의 집만 남아서 목화 운송 차량과 가솔린 펌프 사이에서 완고하고 교태를 부리는 퇴락한 모습으로 꼿꼿하게 서 있었다—정말 꼴불견 중 꼴불견이었다. (119)

에밀리의 집은 과거와 현재로 대비된다. "과거 최고의 거리", "이웃 명사들의 집" 등 과거의 에밀리 집은 귀족의 위세와 부를 보여주며, 그것이 과거의 에밀리를 정의하는 기표이기도 하다. 하지만 현재의 집은 한마디로 "꼴불견 중 꼴불견"이고 여기서 주목할 것은 집에 어울리지 않는 "완고하고 교태를 부리는"이라는 표현이다. 이 표현은 집이 아니라 현재 에밀리의 타락을 암시한다. 그리고 그들의 관심은 이 타락과 이 타락을 어떻게 해석할 것인가에 있다.

마을 사람들이 에밀리를 상징질서 안에 고정시키는 방법은 호머를 만나기 전 에밀리와 만난 후 에밀리로 양분하는 것이다. 과거 아버지가 살아 있던 시절의 그녀는 상징질서 안에서 순결한 처녀라는 누빔점에 고정된다. "우리는 오랫동안 그 두 사람을 하나의 그림으로 생각해왔다. 하얀 옷을 입은 에밀리 양은 호리호리한 자태로 뒤에 서 있고 그녀의 아버지가 말채찍을 쥐고 다리를 벌린 채 그녀 앞에 서 있는 모습이었다. 젖혀진 현관문이 두 사람을 둘러싼 액자처럼 보였다"(123). 이때 마을 사람들이 강조하는 것은 "하얀", "호리호리한" 등의 처녀성과 관계된 이미지이다. 이 시점에서 에밀리는 셔팅, 알렌, 아슨버그와 쉬프터의 분석대로 오이디푸스 콤플렉스나 근친상간에 고착되어 있다.[8] 오이디푸스 콤플렉스에 고착된 그녀는 가족 외의 세계와는 단절되어 있다. 이런 상태의 그녀를 마을 사람들은 순결한 처녀라는 누빔점에 고정시킨다.

그러나 마을 사람들의 에밀리에 대한 해석은 호머와의 관계가 시작되자 순결한 처녀라는 누빔점에서 극단적인 대척점인 타락한 여성으로 이동한다. "교태를 부리는"이라는 집의 묘사에 깔린 복선대로 일요일이면 호머와 드라이브를 하는 그녀는 더 이상 순결한 처녀가 아니다. "곧 우리는 일요일이면 그와 에밀리 양이 말 대여소에서 빌린 밤색 말들이 끄는 노란 바퀴의 이륜마차를 타고 다니는 모습을 보기 시작했다"(124). 마을 사람들의 상징계 속에는 순결한 여성과 타락한 여성이라는 이분법만 존재할 뿐이다. 그들에게 결혼 제도 속으로 통합되지 않는 한 에밀리는 타락한 여성이다. "그들은 그녀에게 양자택일을 강요했다. 호머와 결혼을 하든지 아니면 더 이상 그와 만나지 말기를 택하라고 했다"(Scherting 402).

마을 사람들은 에밀리라는 기표를 강박적으로 순결한 처녀 혹은 타락한 여성이라는 누빔점에 고정시키려고 하지만 그것으로 에밀리라는 수수께끼가 완전히 해명되지는 않는다. 그렇기 때문에 마을 사람들은 강박적으로 계속 에밀리의 의미를 탐색한다. 이것은 역으로 상징질서의 의미망에 어떤 공백과 잉여가 있음을 보여준다. 마을 사람들이 이해할 수 없는 상징질서의 공백과 잉여가 냄새로 표현된다.

---

8) 필자가 이 비평가들과 동의하지 않는 지점은 호머를 아버지의 대리자라고 보고 에밀리가 끝까지 오이디푸스 콤플렉스에 갇혀 있다고 보는 것이다.

3. 냄새와 주이상스

연대기적 질서가 흐트러진 이 이야기에서 냄새는 에밀리의 장례식, 에밀리의 집, 에밀리 소개에 이어 2장에 등장한다. 실제로 에밀리에 대한 심층적인 이야기는 냄새과 함께 시작된다고 할 수 있다. 비평가들은 냄새가 소개되기 직전 두 가지 에피소드의 병치에 주목하고 이를 호머 살해의 전조로 다룬다. "흥미롭게도 아버지의 죽음과 연인이 사라져 버린 일이 세미콜론으로 병치된다"(Nebeker 7)고 지적하고, "아버지의 죽음을 부인하고 시체를 못 치우게 한 에피소드는 호머 배런의 시체에 집착하는 것의 전조"(Speller 89)라고 평가한다. 그러나 이들의 분석은 호머 살해라는 미스터리 플롯에 초점을 맞추고 있고 냄새의 의미에 대한 분석으로 이어지지 않는다.

냄새가 마을에 갖는 의미는 에밀리와 마을이 오랫동안 단절된 이후 처음으로 둘이 이어지는 연결고리다. "그것은 상스러운 북적이는 세상과 고결하고 강한 그리어슨가 사이의 또 하나의 연결고리였다"(122). 마을 여자들은 흑인 하인인 토비Toby가 집을 제대로 관리하지 못해서 나는 냄새라고 수군댄다. "'어떤 남자든 간에 남자가 제대로 부엌을 관리할 수 있는 것처럼 하니까 말이야', 여자들이 말했다. 그래서 냄새가 나도 여자들은 전혀 놀라지 않았다"(122). 화자는 이처럼 냄새로 인하여 "상스러운 북적이는" 세상과 에밀리가 연결되었다고 하지만 "그로스gross"에는 "상스러운"이란 뜻 말고도 "악취를 풍기는"이라는 뜻이 있음을 감안한다면 아이러니컬하게도 마을이 아니라 에밀리의 집이 "그로스gross"한 상태다. 이 악취는 견딜 수 없이 고통스럽지만 피할 수 없는 주이상스이기도 하다. 지젝은 주이상스 앞의 상징질서를 이렇게 표현한다. "상징질서 자체가 기표의 바다에 떠 있는 지위로 축소된다. 난황색 향락의 바다에 부유하는 흰색 섬이다"(Zizek 1999, 26). 마을 사람들의 상징질서는 에밀리의 주이상스로 이루어진 향락의 바다에 부유하는 섬이 되어버린다. 에밀리의 주이상스가 마을 사람들의 상징질서 의미망으로 해석되지 않을뿐더러 오히려 그들이 에밀리의 주이상스 안에 포괄된다.

주이상스는 매우 복잡한 개념이다. 숀 호머의 지적대로 "쾌락과 고통의 결합, 또는 더욱 정확하게 고통 속의 쾌락"(167)이다. 또한 주이상스는 "성적 흥분의 충만을 내포한 쾌락"(마이어스 162)인 동시에 "역겨운 끈적이는 배설물 한 덩어리"(Zizek 1999, 17)이기도 하다. 에밀리의 집에서 나오는 냄새는 에밀리의 역겹지만 충만한 성적 향락을 지시한다. 에밀리라는 기표는 "모든 기표작용의 여분, 찌꺼기, 잔여분으로서 산출된 것, 끔찍한 향락을 구현하는 단단한 응어리"(지젝 2002, 305)라고 볼 수 있다. 이런 주이상스에 대한 환상은 흔히 타자에게 부여된다. "타자(유태인·아랍인·흑인)는 항상 어떤 특정한 주이상스와 가까이 있다고 가정된다"(지젝 2002, 316). 여기서 호머는 북부에서 온 양키일 뿐 아니라 노동자로, 남부라는 폐쇄된 세계의 입장에서는 유대인이나 흑인처럼 타자로 간주될 수 있다.

> 건설회사가 왔다. 그와 함께 흑인들, 노새들, 기계들이 왔고 호머 배런이라는 양키 감독이 왔다. 덩치가 크고 피부가 검은 능란한 사람이었다. 목소리가 크고 눈은 얼굴보다 약간 밝은 색이었다. 꼬마들이 떼 지어 그를 따라다녔다. 그가 검둥이들에게 욕하는 것이나 검둥이들이 곡괭이를 들어 올렸다 내리쳤다 하며 부르는 노래를 들었다. 그는 곧 마을 사람 모두와 알고 지냈다. 광장 어디선가 크게 웃는 소리가 들리면, 언제나 사람들 한가운데 호머 배런이 있곤 했다. (124)

호머를 특징짓는 것은 큰 목소리, 욕설, 누구나와 잘 어울리는 사교성, 웃음 등이다. 그의 웃음과 욕설은 순백의 처녀인 에밀리에게 금지된 모든 것을 상징한다. 에밀리는 단순히 남자와 데이트를 하는 것이 아니라 전혀 낯선 주이상스를 가져다 줄 타자와 데이트를 하는 것이다. "호머 자신이 자기는 결혼할 유형이 아니라고 했다. 그는 남자를 좋아했고 엘크 클럽에서 젊은 남자들과 어울려서 술을 마셨다"(126). 이에 대해 게티Getty 같은 비평가는 그가 동성애자라고 하지만, 그보다 여기서 주목할 것은 "결혼할 유형이 아니다"라는 말이다. 그는 다만 남자들과 어울리는 것을 더 좋아했고 "가정을 이루는 것으로 길들여지는 것을 싫어했다"(Caesar 196)고 보는 것이 더 타당하다. 이는 그와 에밀리의 관계가 결혼이라는 상징질서에 포괄될 수 없는 주이상스와 관련됨을 암시한다.

이러한 주이상스를 상징질서 속에 포괄시킬 수도 없고 제거할 수도 없는 것이 마을 사람들의 딜레마이이다. 이 냄새, 즉 주이상스는 아무리 길들이려고 해도 상징질서의 의미망 속에 자리매김될 수 없고 잔여물로 남는 잉여향락이다. 마을 사람들은 해석될 수도, 제거할 수도 없는 오점인 주이상스 때문에 고통받지만 그것을 직면하지 못한다. 이들이 선택하는 해결책은 "냄새 문제를 (문자 그대로) 덮어버리고"(Harris 177) 상징질서를 봉합하는 것이다. 더 이상 냄새에 둘러싸이지 않은 상태, 즉 에밀리를 높은 곳에 있는 고립된 존재로 제외시키고 자신들의 "상스러운 북적이는 세상"을 복구시키는 것이다. 한 여성이 직접 시장인 스티븐스 판사에게 불평을 하고 이어서 다음날 두 번이나 더 민원이 들어오자 판사는 그날 밤 "시 이사회"를 열고 몰래 에밀리의 집에 잠입해서 석회로 냄새를 덮기로 결정한다.

> 그래서 그 다음날 밤 자정이 지난 시간에 남자 네 명이 에밀리 양의 잔디밭을 가로질러 집 주변을 도둑처럼 살금살금 걸어가며 벽돌 담 아래와 지하창고 문에서 코를 킁킁대며 냄새를 맡았다. 동시에 그중 한 사람이 규칙적으로 어깨에 맨 자루에서 뭔가를 꺼내 씨 뿌리듯이 뿌렸다. 그들은 지하창고 문을 열고 석회를 뿌렸고 모든 헛간에도 뿌렸다. (123)

석회를 뿌리는 것에 대한 그간의 논의는 마을 사람들이 호머의 시체가 있는 것을 알았느냐는 미스터리에 집중되어 있었다. 비평가들은 "아이러니컬하게 이웃이 공모했다"(Clausius 149)거나, "일부 사람들은 호머가 2층에 있는 것을 알았지만, 이번에는 가만히 두었다"(Getty 231-32)거나, "죽은 동물("어쩌면... 마당에서 죽은 뱀이나 쥐 냄새뿐일 수도 있다")의 냄새로 알았으면서도 일부러 모른 척한다"(Rodman 7)고 지적했다. 이 비평가들에게 냄새는 시체를 지시하는 구성상의 기능을 할 뿐이고 냄새의 의미에는 크게 관심을 두지 않는다. 냄새의 의미를 해석하더라도 귀족이라는 존재와 어울리지 않는 것 정도로 해석했다. "그녀에게서 죽음의 냄새를 없앤 것은 귀족의 생물학적인 초월을 암묵적으로 긍정한다"(Curry 396). 냄새는 지젝의 지적대로 잉여향락인 주이상스를 지시한다. 잉여향락을 가져오는 부분대상에 프로이트가 젖가슴, 대소변, 페니스를 이야기했고 라캉이 시선과 목소리를 보충했다면, 지젝은 냄새를 추가했다. 지젝은 『향수』를 예로 들면서 "그 냄새를 맡을 때마다 사람들이 합리적 절제를 중지하고 성적 탐닉에 빠진다고 한다"(지젝 2013, 1159). 에밀리의 집에서 나는 역겨운 냄새는 이러한 성적 탐닉을 지시한다고 할 수 있다. 오히려 고통스럽고 역겹다는 면에서는 향수보다 오히려 더 적절하게 잉여향락을 지시한다고 할 수 있다. 몰래 에밀리의 집에 들어가 석회를 뿌려서 냄새를 없애는 것, 주이상스를 억압하는 것만이 마을 사람들이 할 수 있는 유일한 일이다. “끔찍한 향락을 구현하는 단단한 응어리”인 에밀리라는 기표가 마치 존재하지 않는 것처럼 억압할 수 있을 뿐이다. 하지만 주이상스는 “결코 제거할 수 없다는 것, 주이상스의 오점이 영원히 이어진다는 것” (케이 57)이 이들의 딜레마이다.

라캉의 개념으로 이해한다면 이들은 주이상스를 대면하지 못하고 그 진실을 은폐하고 회피하는 것이다. 그 점이 구체적으로 생생하게 형상화된 것이 창가에 비친 에밀리 실루엣과 도망치는 마을 사람들의 모습이다.

> 그들이 다시 잔디밭을 건너 나올 때 어둡던 창문에 불이 들어왔고 에밀리 양이 창가에 앉아 있고 뒤에서 불빛이 비쳤다. 똑바로 앉은 그녀의 윗몸이 우상처럼 꼼짝도 하지 않았다. (123)

해리스는 “‘우상’이 고어로는 유령, 보이기는 하지만 실체가 없는 유령이라는 뜻”(80)이란 점을 지적했다. 에밀리가 유령이라는 것은 상징질서로 파악할 수 없는 존재라는 의미에서 올바른 지적이다. 에밀리는 “주체의 상징세계가 지닌 균형을 깨버리는 외상적인 만남”(지젝 2002, 289)이다. 이때 에밀리는 무엇보다 그들을 바라보는 시선으로 형상화된다. 늘 그들이 에밀리를 시선의 대상으로 삼았는데 이번에는 마을 사람들이 에밀리의 시선의 대상이 된다. 그녀의 시선은 대상 시선object gaze이라고 할 수 있다. “대상 시선은 안전한 객관적인 거리에서 볼 수 없는 오점이다. 내가 파악할 수 있는 무엇으로서 프레임에 넣을 수 없는 것이다”(Zizek 1999, 15). 그 실루엣은 “분명한 현실을 정확히 가리킬 수 없는 뭔가 공허한 선험적인 시선, … 맹점盲點”(지젝 · 살레츨 155-56)이다. 에밀리는 맹점盲點에서 시선을 되돌려주고 그 시선이 마을 사람들을 “메두사처럼 꼼짝 못 하게 해 주체를 돌처럼 굳어버린 존재로 변형시킨다”(지젝 2013, 1239-40).

에밀리의 실루엣이라는 맹점의 시선은 그들이 완벽하게 봉합했다고 생각한 상징질서, 석회로 냄새를 제거해 복구된 상징질서에 여전히 "라캉이 'X'라고 부르는 초과분"(호머 167)이 있음을 일깨워 준다. 그들이 이 시선을 피하는 이유는 잉여향락인 주이상스와의 대면이 불가능하기 때문이다. 아마 "내 안에 있는 나 이상의 것을 보는"(지젝 2013, 1244) 시선과 대면하는 순간 지금까지 내 실존의 토대였던 모든 것이 무너져서 재정식화되어야 하기 때문이다. "의미 사슬 속에서 언어화될 수 없는 향락"(Zizek 1999, 30)인 에밀리의 향락은 "과다한 풍부함 때문에"(지젝 2002, 324) 견딜 수 없는 것이 된다. 이 주이상스는 블랙홀 정도가 아니라, "모든 관점을 해체한다"(Veronique and Bogden 72). 마을 사람들은 상징질서 너머의 주이상스를 인정하는 순간 상징질서 자체의 한계와 동시에 붕괴를 받아들여야 한다.

4. 포크너와 주이상스

에밀리의 장례식이 끝나자 마을 사람들은 강제로 2층 방문을 연다. 역설적으로 에밀리의 죽음이 마을 사람들과 에밀리의 연결고리가 된다. 마을사람들이 에밀리의 집에 들어가는 것은 에밀리의 존재를 다시 한번 해명하려는 그들의 강박관념을 보여준다.

> 우리는 40년 동안 아무도 본 적은 없지만 이미 2층에 방이 하나 있는 것은 알고 있었다. 그 방은 억지로 열어야 했다. 그들은 격식을 갖춰 에밀리 양을 매장한 다음 그 방문을 열었다. (129)

하지만 이들은 여전히 에밀리의 주이상스를 대면하지 못한다. 억지로 문이 열리자 "우리"가 "그들"로 바뀐다. "화자는 미스터리가 풀리는 가장 흥분된 순간에 참여를 거부하고 … 침묵하는 일부가 되고 싶어한다" (Curry 398)는 지적대로 "그들"이 되는 순간 마을 사람들과 에밀리의 외상적인 만남은 불가능해진다. 강제로 문을 열고 나서 마침내 마을 사람들이 푼 수수께끼는 에밀리가 비소로 호머를 살해했다는 살인 사건의 미스터리다. 호머의 시체 옆에 있던 "두 번째 베개"에서 "녹회색의 긴 머리카락"(130)에 초점이 맞추어지는 순간 에밀리는 시간자인 살인자로 규정된다. 아버지의 죽음 후 사흘 동안 에밀리가 죽지 않았다고 고집을 부릴 때 마을 사람들은 "그때 우리는 그녀가 미쳤다고 말하지는 않았다"(124)고 하는데, 그 말은 결국 에밀리가 미친 사람으로 증명된다는 것의 복선이 된다. 그들의 상징질서 안에서 에밀리라는 기표는 영원히 미친 살인자라는 누빔점에 고정된다.

마을 사람들은 이처럼 과다한 향락을 제공하는 냄새와의 직접적인 대면을 회피하는데, 그렇다면 포크너는 어디에 있는가? 이 방에 대한 묘사에서 우리는 포크너의 위치를 알 수 있다.

> 무덤 속 관 위 먼지처럼 매캐한 먼지가 신혼 침실로 가구를 갖추고 장식을 한 방 곳곳을 얇게 뒤덮고 있었다. 퇴색한 장밋빛 침대보 장식에도, 장밋빛 갓을 단 스탠드 위에도, 경대 위에도, 변색한 은 화장품 용기에도 먼지가 앉아 있었다. 은색이 너무 변색되어 거기 새긴 이름 첫 글자가 거의 보이지 않았다. 그런 것들 사이에 이제 막 벗어놓은 것처럼 칼라와 넥타이가 놓여 있었다. 그것을 들자 먼지 속에서 희미한 초생달 모양이 표면에 나타났다. 의자 위에는 양복이 조심스럽게 접혀 있었다. 그 아래는 말 없는 구두 한 켤레와 벗겨진 양말이 있었다. (129-30)

이 방에서 무엇이 보이는지가 중요하다. 포크너의 시선에는 이제 "카메라가 한 지점에서 다른 지점으로 움직이는 것처럼 퇴색한 장밋빛 침대보 장식, 장밋빛 전등 갓, 변색한 은 화장품 용기, 남자 옷이 보인다"(Nebeker 10). 에밀리가 시간자인 것은 사실이지만, 이 방이 살인과 착란의 현장만은 아니다. 포크너의 카메라가 집중하는 대상은 이 방이 신혼 침실이라는 점이다. 이 방은 "매캐한 먼지"로 뒤덮여 있지만, 포크너는 먼지가 앉기 이전의 상태, 즉 "신혼 침실로 가구를 갖추고 장식을 한" 점에 주목한다. H B라는 호머 배런의 첫 글자가 새겨진 화장품 용기, 남자 양복, 넥타이가 있을 뿐 아니라 최초로 장미라는 단어가 등장한다. 이때 장미는 신혼 침실과 관련된다. 이 방은 "퇴색한 장밋빛 침대보 장식에도, 장밋빛 갓을 단 스탠드 위에도"에서 알 수 있듯이 장밋빛으로 단장한 침실이다. 아슨버그와 쉬프터는 장미가 먼지 덮인 상태로 주어지고 그 먼지는 제3의 남자의 흔적마저 덮고 있다고 하지만[9], 오히려 포크너는 먼지 아래 숨겨져 있는 퇴색한 장밋빛을 살려내며 에밀리에게 장미를 바친다. 40년 전의 장밋빛은 에밀리의 주이상스를 상징한다. 포크너는 이 주이상스를 냄새로 형상화했을 뿐 아니라 주이상스를 느끼는 에밀리를 전면적으로 받아들인다.

에밀리의 주이상스는 라캉이 말하는 성 테레사St. Teresa의 여성적 주이상스와 같다. 『세미나 XX』에서 라캉은 이탈리아 바로크 시대의 조각가 로렌조 베르니니Lorenzo Bernini의 조각인 <성 테레사의 희열>The Ecstasy of

9) 아버지는 원 장면에 있고 호머는 환상적인 파편에서 전체를 구성한다. 이 두 번째 선택은 늘 제3의 남자로 변한 것이다. 이 사람은 최고의 남자이고 가장 아름답고 바람직한 사람이다. … 에밀리의 장미는 이 텍스트를 존재하게 하고 끝나게 하는 제3의 남자의 흔적을 덮고 있는 먼지로부터 주어진다(Arensberg and Schyfter 132-33).

Saint Teresa을 여성적 주이상스의 예로 든다. 이 작품은 공중의 천사가 성 테레사에게 화살을 쏘는 순간 황금빛 햇살이 그녀에게 쏟아지고 그녀가 황홀경에 빠진 모습을 보여준다.

> 로마로 가서 베르니니의 조각을 보기만 하면 즉시 그녀가 황홀경에 이른 것을 이해할 수 있다. 의심의 여지가 없다. 그녀의 주이상스는 어디서 오는가? 신비주의자들의 증언의 핵심은 이것을 경험은 할 수 있지만 이에 대해 아무것도 알 수 없다는 점이다. (Lacan 1998, 76)

이때의 황홀경은 "언어와 말의 영역 바깥에 있다"(Nobus 37). 이렇게 말로 표현할 수 없는 황홀경의 경험을 라캉은 여성적 주이상스로 명명한다. 실제로 테레사의 자서전에 의하면 "고통이 너무 심해서 나는 몇 번 신음을 했다. 그러나 강렬한 고통으로 인한 달콤함이 너무 강렬해서 그것이 멈추길 바랄 수 없었다"(Nobus 39 재인용). 마을 사람들과 대조적으로 포크너는 에밀리의 이러한 주이상스를 받아들인다. 마을 사람들은 시간자가 퇴색한 장밋빛 쾌락을 즐긴 것으로만 보지만, 포크너는 그녀의 여성적 주이상스와 자신을 동일시하는 라캉적인 분석가의 입장에 있다. 후기 라캉은 증환과 자신을 동일시하고 주이상스를 체험하는 것을 분석가의 임무로 간주한다. 분석가가 증환과 동일시하는 순간 분석이 종결되는데, 포크너는 에밀리와 함께 여성적 주이상스를 경험하며 상징질서를 넘어선다. 그는 "장밋빛 침대보 장식"과 "장밋빛 갓"이 상징하는 여성적 주이상스에 장미 한 송이를 바친다.

이 글에서는 라캉의 주이상스 개념으로 「에밀리를 위한 장미」를 분석함으로써 냄새를 새롭게 해석해내고자 했다. 기존 비평이 에밀리가 오이디푸스 콤플렉스에 고착되어 있고 호머와의 관계가 호머를 아버지 대리자로 한 오이디푸스 콤플렉스의 반복이라고 보는 데 반해, 여기서는 에밀리가 오이디푸스 콤플렉스에 갇혀 있지 않고 오히려 냄새가 재현한 여성적 주이상스를 받아들인 것으로 보았다. 마을 사람들은 에밀리를 상징질서 안에 순백의 처녀 혹은 타락한 여성이라는 누빔점에 고정시키고자 하고 자신들이 이해할 수 없는 에밀리의 잉여향락인 냄새를 억압함으로써 상징질서를 봉합한 것이다. 그들에게는 에밀리가 타락한 여성, 살인자, 시간자일 뿐이다. 반면 마을 사람들과는 대조적으로 포크너는 그녀의 주이상스를 받아들인다. 그는 어디서도 그녀의 주이상스를 인정한다고 직접 말하지는 않지만, 먼지 속에서 장밋빛 신혼방을 되살려내고 나아가 「에밀리를 위한 장미」라는 제목으로 그녀의 주이상스를 옹호한다. 포크너는 그녀의 심리를 언어화하여 상징질서 속에 적절하게 자리매김하는 것이 아니라 후기 라캉처럼 언어로 포착될 수 없는 여성적 주이상스를 함께 경험함으로써 분석을 종결한다.

■ 인용문헌

마이어스, 토니. 『누가 슬라보예 지젝을 미워하는가』. 박정수 역. 서울: 앨피, 2005.

지젝, 슬라보예. 『라캉 카페, 헤겔과 변증법적 유물론의 그늘』. 조형준 역. 서울: 새물결, 2013.

__________. 『이데올로기라는 숭고한 대상』. 이수련 역. 서울: 인간사랑, 2002.

__________. 레나타 살레츨 편. 『사랑의 대상으로서 시선과 목소리』. 라깡정신분석연구회 역. 서울: 인간사랑, 2010.

케이, 사라. 『슬라보예 지젝』. 정현수 역. 부산: 경상대학교 출판부, 2006.

호머, 숀. 『라캉 읽기』. 김서영 역. 서울: 은행나무, 2014.

Arensberg, Mary, and Sara E. Schyfter. "Hairoglyphics in Faulkner's 'A Rose for Emily': Reading the Primal Trace." *Boundary 2* 15 (1986-1987): 123-34.

Allen, Dennis W. "Horror and Perverse Delight: Faulkner's 'A Rose for Emily.'" *Modern Fiction Studies* 30 (1984): 685-96.

Caesar, Judith. "Faulkner's Gay Homer, Once More." *The Explicator* 68 (2010): 195-98.

Clausius, Claudia. "'A Rose for Emily': the Faulknerian Construction of Meaning." *Approaches to Teaching Faulkner's The Sound and the Fury*. Eds. Stephen Hahn and Arthur Kinney. New York: MLA, 1996. 144-49.

Curry, Renee R. "Gender and Authorial Limitation in Faulkner's 'A Rose for Emily'." *The Mississippi Quarterly* 47 (1994): 391-402.

Dilworth, Thomas. "A Romance to Kill for: Homicidal Complicity in Faulkner's 'A Rose for Emily'." *Studies in Short Fiction* 36 (1999): 251-62.

Getty, Laura J. "Faulkner's A Rose for Emily." *The Explicator* 63 (2005): 230-32.

Lacan, Jacques. *The Seminar XX of Jacques Lacan.* Ed. Jacques-Alain Miller. Trans. Bruce Finks. London: W. W. Norton and Co., 1998.

Millgate, Michael. *The Achievement of William Faulkner*. New York: Random House, 1966.

Nebeker, Helen E. "Emily's Rose of Love: Thematic Implications of Point of View in Faulkner's 'A Rose for Emily'." *The Bulletin of the Rocky Mountain Modern Language Association* 24

(1970): 3-13.

Nobus, Dany. "The Sculptural Iconography of Feminine Jouissance: Lacan's Reading of Bernini's Saint Teresa in Ecstasy." *The Comparatist* 39 (2015): 22-46.

Rodman, Issac. "Irony and Isolation: Narrative Distance in Faulkner's 'A Rose for Emily'." *The Faulkner Journal* 8 (1993): 3-12.

Scherting, Jack. "Emily Grierson's Oedipus Complex: Motif, Motive, and Meaning in Faulkner's 'A Rose for Emily'." *Studies in Short Fiction* 17 (1980): 397-405.

Speller, John. "Reading and Reflexivity: Bourdieu's Faulkner." *Paragraph* 35 (2012): 83-96.

Sullivan, Ruth. "The Narrator in 'A Rose for Emily'." *The Journal of Narrative Technique* 1 (1971): 159-78.

Voroz, Veronique, and Bogdan Wolf, eds. *Later Lacan: An Introduction*. Albany: SUNY P, 2007.

Zizek, Slavoj. *The Zizek Reader*. Eds. Elizabeth Wright and Edmond Wright. Oxford: Blackwell, 1999.

6

중단의 미학과 향유의 시간: 에밀리 디킨슨

1. 서론

디킨슨Emily Dickinson의 시에서 연대기적 시간의 중단은 중요한 특징 중의 하나이다. 그러나 그동안 디킨슨의 시간에 대한 논쟁의 핵심은 유한과 영원의 문제를 둘러싸고 이루어졌으며, 중단의 문제 자체가 본격적으로 부각되지는 않았다. 디킨슨에게 연대기적 시간의 중단은 영원의 옹호로 해석되거나, 아니면 유한도 영원도 아닌 임시적인 상태로 해석되었다. 필립스Carl Philips는 연대기적 시간의 중단이 곧 영원을 의미하는 것으로 보았다면, 포드Thomas Ford와 이미선은 디킨슨이 궁극적으로 영원을 지향하는 것으로 보았다. 반면, 스펜서Mark Spencer는 디킨슨에게 시간의 중단이 영원이 아니라 임시적인 정지를 뜻하는 것으로 보았다. 하지만 아감벤Giorgio Agamben의 관점에서 본다면 디킨슨의 시간의 중단은 영원이나 임시적인 상태가 아니라 새로운 시간으로 해석될 수 있다.

아감벤은 우선 시간을 "공허한 동질적 시간의 연속"(Benjamin 395)으로 보는 연대기적 시간관에 반대한다. 그가 옹호하는 것은 연대기적 시간과 대비되는 중단의 순간이다. 중단은 시점들의 연결인 연속적인 시간과 정면으로 배치되는 것으로 "끊어진 선이라는 공간적 모델"(Agamben 1993, 184)에 기초한 시간이다. 중단의 순간에 우리는 "연속적인 직선적 시간에 예속된 것이 아니라 그로부터 해방"(Agamben 1993, 104)되는 것으로, 이 시간은 순간적으로 포착하지 못하면 영원히 지나가 버리는 행복한 순간이자 가능성으로 가득 찬 카이로스, 즉 "기회를 포착하여 순간적으로 삶이 충만해지는, 갑자기 불현듯 다가온 접점"(Agamben 1993, 101)이 중단의 순간이라고 할 수 있다.

연속적인 시간의 지배를 받으며 삶을 끝없이 유예하는 연대기적 시간과 질적으로 다른 카이로스 시간의 핵심에는 향유가 있다. 그것은 과거와 현재와 미래가 압축된 지속적인 시간으로 "매 순간 하나의 전체이자 완성태로 존재하며"(Agamben 1993, 104), "삶을 가득 채우는 직접적이고 돌발적인 일치의 시간"이고, 시간의 흐름이 중단된 채 "온전하게 자기충족적인 삶의 경험으로 채워지는 해방의 순간"(이혜원 189)이다. 이 시간은 "인간의 근본적인 차원"이며 "낙원에서 아담의 일곱 시간"(Agamben 1993, 104)과 같은 지고의 행복을 경험하는 시간이다.

디킨슨에게 과거-현재-미래로 이어지는 연대기적 시간의 중단은 영원으로 가는 출발점이나 임시적인 정지 상태가 아니다. 디킨슨에게 중단은 파괴지만 동시에 해방을 가져오는, 완벽한 향유가 가능해지는 순간이다. 여기서는 디킨슨의 시에 나타나는 중단에 주목하고 그것이 어떻게 향유의 시간으로 나타나는지 분석하고자 한다.

2. 중단의 미학

디킨슨은 우선 연대기적 시간의 중단에 주목한다. 시계가 갑자기 멈춘 것은 단지 시계의 오작동을 뜻하는 것이 아니라 연대기적 시간의 중단을 의미하며, 그녀는 연속적인 시점의 흐름인 동질적인 시간이 다른 시간으로 대체되는 지점에 주목한다.

시계가 멈추었다—벽난로 위 시계만 빼고
가장 탁월한 제네바 장인도
이제 막 가만히 매달려 있기 시작한
그 추를 움직이게 하지 못하리라

A clock stopped—not the mantel's;
Geneva's farthest skill
Can't put the puppet bowing
That just now dangled still. (J 287)[10]

이 순간에 대해서 이미선은 유한의 위협과 이를 벗어나려는 열망 사이의 곤경을 "멈추어버린 시계"의 이미지로 구체화했다고 분석한다(134). 그러나 이것은 곤경의 순간이 아니라 바로 아감벤이 말하는 중단의 순간이라고 볼 수 있다. 이 중단은 연속적 흐름이라는 시간의 선형적 모델에서 "끊어진 선이라는 공간적 모델"(Agamben 1993, 184)로 옮아갔음을 뜻한다.

10) Johnson 번호를 따름. Dickinson, Emily. *The Poems of Emily Dickinson*. Ed. Thomas H. Johnson. Cambridge: Harvard UP, 1955.

이러한 중단으로 가능해진 시간은 과거에서 미래로 이행하는 하나의 시점이 아니라 과거, 현재, 미래가 동시에 존재하는 압축된 시간이다.

어떤 하지도—
세월마저도 끼어들지 않는 지대가 있다.
태양이 영원한 정오를 만들어내고
영원한 계절이 기다리는—
그 여름 속에 여름이 들어와, 마침내
수세기에 걸친 6월이
그리고 수세기에 걸친 8월이 멈춘다.
그리고 의식은—정오이다.

There is a Zone whose even Years
No Solstice interrupt—
Whose Sun constructs perpetual Noon
Whose perfect Seasons wait—
Whose Summer set in Summer, till
The Centuries of June
And Centuries of August cease
And Consciousness—is Noon. (J 1056)

필립스는 이를 "영원으로 보이는 심연"(166)으로 분석함으로써 연대기적 시간의 중단이 곧 영원이 되는 것으로 해석한다. 하지만 이 시간은 질적으로 다른 시간, "태양이 영원히 정오"인 시간이다. 중단의 순간은 지속되는 여름이지만 지속이 곧 영원을 뜻하지는 않는다. 오히려 이 순간에는 과거, 현재, 미래가 압축되어 있다. 즉 디킨슨은 정오, 달, 계절, 해years의 구분이 무의미해지고 모든 시간의 단위가 한 순간에 압축된 순간을 포착하고 있다.

중단이 극명하게 나타나는 것은 죽음이다. 디킨슨의 가장 대표적인 죽음 시 중 하나인 「내 머릿속에서 장례식을 느꼈다」(“I Felt a Funeral, in My Brain”)를 보면 그 체험이 상세하게 기술되어 있다.

> 그러고 나서 이성의 널빤지가 부서져버렸고
> 그리고 나는 떨어져 내리고 내린다—
> 그리고 떨어질 때마다 하나의 세계에 도달했고,
> 그리고 더 이상 아무것도 알지 못하게 되었다—그러자—

> And then a Plank in Reason, broke,
> And I dropped down, and down—
> And hit a World, at every plunge,
> And Finished knowing—then— (J 1720)

이 체험에 대해 주혁규는 이 시의 흐름을 따라가며 “화자는 관속에서 의식이 남아있는 상태에서, 묻히는 과정을 기술하며, 의식의 한계점까지 체험을 기록하다가, 이성이 와해함을 경험하며, 하강을 거듭하다가 또 다른 세계와 마주치게 된다”라고 상세하고 정확하게 설명한 후, “그러자”에 대해 다른 세계가 펼쳐짐과 디킨슨 특유의 “줄표의 효과로 야기되는 미결정성”(97)을 언급한다. 이것은 타당한 지적이다. 그러나 그의 설명은 미결정성에서 멈춘다. 하지만 우리가 아감벤의 중단 개념을 적용하게 되면, 줄표는 단순한 미결정성을 뜻하는 것이 아니라 새로운 시간이 펼쳐지는 계기가 된다. 특히 연대기적 시간이 끊어진 그 순간을 줄표로 표현함으로써 디킨슨은 단순한 미결정성이 아니라 언어의 차원을 넘어선 새로운 차원이 펼쳐짐을 가리킨다. 아감벤에 따르면 시에서만 가능한 행의 중단이나 행 걸치기caesura and enjambment 기법이 언어가 지닌 통사론적인 경계를 언어의 청각적 또는 운율적인 경계와 충돌하게 만들고 "소리와 의미의 분열" (윤교찬 5)을 뜻하게 된다. "그러자"를 사이에 두고 양쪽에 있는 줄표는 단순한 미결정성이 아니라 모든 것이 부정된 후 다시 시작되는 중단의 순간을 가리킨다. 다시 말해 "언어의 중단은 뜻의 흐름 속에서 언어를 끌어낸 후 언어를 기호 자체로 보여주는 것"(Agamben 2002, 317)의 일례라고 할 수 있다. 언어가 기호 자체가 되는 순간 언어로 지칭되던 모든 것이 무의미해지고 언어가 구축한 세계는 모두 부정된다. 여기서도 "이성"으로 설명되는 모든 세계가 파괴되는 순간이 줄표로 인해 가능해진다.

디킨슨의 시에서 가장 명확한 중단인 죽음은 파괴로 끝나지 않는다. 그것은 파괴와 동시에 구원으로 이어진다. 우선은 파괴의 이미지가 생생하게 제시된다.

> 바람이 나팔처럼 다가왔다—
> 풀잎 사이에서 흔들리자
> 후끈 단 풀잎 위로 초록빛 한기가 스쳤다
> 아주 소름이 끼쳤다.
> 우리는 문과 창문을 걸어 잠궜다.
> 바로 그 순간
> 에메랄드 유령의 것인지—
> 운명의 전기 모카신이 지나갔다—
> 기묘하게 모여 헐떡거리는 나무 위로
> 그리고 울타리가 멀리 날아가 버렸다

그리고 강에는 집들이
살아있는 것처럼 보이던 집들이—그날—
거친 첨탑 안에서 종이 울려
소식을 퍼트렸다
얼마나 많이 올 수 있고,
얼마나 많이 갈 수 있는지
하지만 세상은 남아 있구나!

There came a Wind like a bugle—
It quivered through the Grass
And a Green Chill upon the heat
So ominous did pass
We barred the Windows and the Doors
As from an Emerald Ghost—
The Doom' Electric Moccasin
That very instant passed—
On a strange Mob of panting trees,
And Fences fled away,
And Rivers where the Houses ran
Those looked that lived—that Day—
The Bell within the steeple wild
The flying tidings told—
How much can come
And much can go,
And yet abide the World! (J 1593)

디킨슨은 폭풍을 나팔에 비유함으로써 청각적 인식과 함께 시각적 효과를 가져 온다. 시각적으로 볼 때 나팔의 한쪽 끝은 좁고 점점 더 퍼지는 모양이어서 회오리 바람의 위력이 더 생생하게 다가온다. 1행에서 묘사된 임박한 폭풍은 잠재적인 위험의 조짐을 보여주지만 마지막 행에 이르면 마을은 완전히 파괴된 모습을 보여준다. 울타리는 바람에 쓰러지고, 집들은 날아가 버린다(Day-Lindsey 30). 이 시가 보여준 파괴는 베냐민이 말한 파국에 가깝다. 베냐민은 "날개를 꼼짝 달싹 못하게 할 정도로 세차게 천국에서 불어오는 폭풍우"로 인해 새로운 천사Novus Angelus 앞에 펼쳐진 파국을 "잔해 위에 또 잔해가 끊임없이 쌓이고 또 이 잔해를 우리들 발 앞에 내팽개치는 단 하나의 파국"(Benjamin 392)으로 묘사한다. 하지만 이때 파국은 파괴 자체로 끝나지 않는다. 그것은 창조를 위한 파괴이다. 마지막 행을 보면 폭풍이 지나고 난 후에도 세상은 "여전히 남아있다고 하는데 강력한 폭풍의 힘 앞에도" 마을은 남아있다. 그러나 이때 그 세계는 과연 폭풍 이전의 마을과 같은 것일까? 이 마을은 과거의 마을과 같은 마을일 수 없다. 이때 마을은 파괴를 통해 탈창조의 과정을 거친 마을이다. 중단은 "현실태를 탈창조함으로써 목전에 있는 현실보다 더 강해진다"(Agamben 2002, 318)는 아감벤의 말대로, 탈창조된 세계는 과거의 세계와는 완전히 다른 새로운 차원의 세계, 즉 구원된 세계이다. "구원이란 존재의 보상이 아니고 거기서 빠져나오는 길"(Agamben 1999, 153)이라는 아감벤의 말대로, 구원의 전제 조건은 영원히 과거를 끝낼 때 가능한 것이다. 과거를 "간직하는 것이 아니라 오히려 맥락에서 분리하는" 것이다. 이때 "정의의 힘인 파괴"를 통해 "기원에 있던 피조물의 상태로서 승화"하는 순간 과거는 구원된다(Agamben 1999, 152). 마지막 행의 세계는 과거의 반복이 아니라 과거를 완전히 파괴한 후 기원으로 돌아간 세계이다. 기원과 종말이 하나가 되는 시간의 압축이 일어나는 구원의 시점에서 과거는 새로운 차원으로 승화된다.

3. 향유의 시간

연대기적 흐름 밖에 있는 중단의 순간은 구원이 가능한 시간이다. 이때 구원된 시간의 핵심은 향유다.

구덩이—그러나 그 위는 천국—
그리고 천국이 옆에, 그리고 천국에서 먼 곳에
그러나 구덩이—
그러나 그 위는 천국
움직이면 미끄러질 것이다.
쳐다보면 떨어질 것이다
꿈꾸면 많은 기회를 지지하는
지지대가 부서질 것이다.
아! 구덩이! 그 위는 천국

A Pit—but Heaven over it—
And Heaven beside, and Heaven abroad;
And yet a Pit—
With Heaven over it.
To stir would be to slip
To look would be to drop
To dream to sap the prop

That hold many chances up
Ah! Pit! With heaven over it (J 1712)

볼로스키Shira Woloski는 이 시의 정지 상태가 과거와 미래에서 떨어져 나온 파편으로 구체화되었으며 이 파편은 과거 및 미래와 조화를 이루지 못하고 있음을 강조하면서, 현재의 상태나 행위의 부정으로 표현된 부동성은 구덩이와 맺고 있는 불안한 균형이 깨질까봐 두려워하는 화자의 감정을 전달한다고 본다(5-8). 볼로스키의 견해 중 이 정지 상태를 "시간으로부터 어긋난 파편"으로 본 점은 중요하다. 그러나 그의 해석의 문제점은 지나치게 균형을 강조한 데 있다. 오히려 이 파편은 정적이며 동시에 동적인 측면, "영화의 한 컷"(Lachman 93) 같다는 라흐만의 주장이 실감에 가깝다. 여기서 우리가 주목해야 할 점은 구덩이에 빠진 디킨슨은 균형보다는 중단의 순간, 모든 것이 파괴되고 나락으로 떨어지는 것처럼 보이는 바로 그 순간에 향유의 시간이 펼쳐질 수 있음을 보여주고 있다. 즉 모든 것이 파괴된 중단의 순간에 향유의 시간이 펼쳐진다는 것이다. 여기서 구덩이 "위는 천국"이다. 천국은 구체적으로 그려져 있지 않으나 무엇보다도 아담이 누린 원초적인 행복으로 충만한 시간을 뜻한다.

시간과 영원, 죽음의 문제로 가장 많이 언급되는 시로 「내가 죽음을 태우려고 멈출 수 없어」("Because I Could Not Stop for Death")가 있다. 이 시는 여러 비평가에 의해 유한과 영원의 문제를 다룬 시로 분석되었다. 그러나 이 시에 나타난 중단에 주목할 때 유한과 영원의 이분법을 벗어나 새로운 차원의 시간을 만날 수 있다. 죽음이 자신을 태우러 오자 함께 마차를 타고 가면서 화자는 다음과 같은 광경을 본다.

학교를 지났다.
노는 시간이라 아이들이
－옹기종기－모여 노는 중이었다
곡물이 물끄러미 우리를 바라보는 밭을 지났다.
우리는 저무는 태양 곁을 지나쳐 갔다－
아니 오히려－태양이 우리 곁을 지나쳤다－
이슬방울은 차갑게 떨렸고
얇은 비단 옷 위에－
목도리－망사 목도리－만 걸쳐 추웠다
우리는 부푼 둔덕처럼－
보이는 집 앞에 멈추었다.
지붕은 거의 보이지 않고－
박공은－땅 속에－묻혀 있었다.
보라 그 후－수백 년이나 흘렀다－그런데도
그 날 하루보다 더 짧게 느껴진다
말이 영원을 향해 달려가는 것으로
추측했던 바로 그날보다 더 짧게－

We passed the School, where Children strove
At Recess－in the Ring－
We passed the Fields of Gazing Grain
We passed the Setting Sun－
Or rather－He passed Us－
The Dews drew quivering and chill
For only Gossamer, my Gown－
My Tippet－only Tulle－

We paused before a House that seemed
A Swelling of the Ground –
The Roof was scarcely visible –
The Cornice – in the Ground –
Since then – 'tis Centuries – and yet
Feels shorter than the Day
I first surmised the Horses' heads
Were toward Eternity – (J 712)

기존 비평에서는 이 시를 영원을 지향하거나 아니면 영원을 가능케 해주는 죽음에 대한 동경으로 해석한다. 쇼우Mary Neff Shaw는 마차에 탄 다음 처음 그녀가 만나게 되는 사물에 대해 "학교", "바라보는 곡물", "지는 해"는 "인생의 3단계"(20)를 거쳐서 마침내 죽음에 이르는 것으로 본다. 그러나 마차를 탄 다음 펼쳐지는 것은 전도된 세계이고 마침내 연대기적 시간의 부정에 이른다. 아이들의 놀이는 신성한 것을 전복시킨다. 아이들에게는 경제, 전쟁, 법 등이 장난감이 되어버리는데(아감벤 2010, 111-12), 여기서도 죽음은 전혀 신성한 것으로 격상되지 않는다. 또한 우리가 아니라 "곡물이 우리를 물끄러미 바라보았다" 역시 주체가 인간이 아니고 사물인 점에서 세계의 전도를 보여준다. 이러한 전도는 연대기적 시간의 부정으로 발전된다. "우리는 저무는 태양 곁을 지나쳐 갔다– / 아니 오히려–태양이 우리 곁을 지나쳤다–"를 보면 시간과의 관계에서 시간은 우리가 정하는 연속적인 연대기적 시간이 아니다. 쇼우의 주장과는 정반대로 태양이 주체가 되는 순간 연대기적인 시간의 개념 자체가 부정된다.

"영원" 자체가 언급된 마지막 연은 시간에 대한 논의에서 가장 주목받는 연이기도 하다. 윤효녕은 포드의 견해를 지지하며 죽음이 화자를 영원으로 안내해주기 때문에 정말 고마운 친구이며 죽음을 고맙게 여기는 데는 "반어법이 없다"(Ford 122)면서, 화자가 영원에 드는 것을 결말로 본다(윤효녕 66). 그러나 스톡스Kenneth Stocks는 마지막 연에서 영원을 보는 대신, 양적으로 측정 불가능한 특이한 시간임을 지적한다(45). 이러한 통찰에도 불구하고 스톡스는 이 시간이 연대기적 시간이 아님을 지적하는 데 그칠 뿐이다. 스톡스와 마찬가지로 영원의 세계로 들어간 것을 부정하고 이 시간을 임시적인 정지 상태로 보는 스펜서의 견해는 눈여겨볼 만하다. 그는 마지막 연이 "결말을 암시하기는커녕, 시 전체는 화자가 들어간 새로운 상태가 단지 일시적인 상태임을 안다는 사실을 강하게 암시한다. 그 상태는 마차를 타고 가는 여행 중에 그저 잠시 멈춘 상태에 지나지 않는다"(95). 그의 견해는 중단을 지적한 점에서 높이 살 만하다. 그러나 그가 본 중단은 연대기적 시간의 한 점으로서 언제든 다음 순간으로 옮아갈 수 있는 이행의 순간일 뿐이다. 우리가 아감벤의 관점에서 본다면 중단은 이행을 위한 멈춤이 아니고 그 자체로 완결된 향유의 시간을 여는 계기이다. 아감벤의 말대로 "향유의 시간은 직접적인 중단의 순간 속에 놓여 있으며 이 순간에 인간은 자신의 본래 상태가 죽음에서 부활한 자의 상태임을 돌연 깨닫는다"(Agamben 1993, 101). 이것은 베냐민이 말하는 지금-시간이기도 하다. 즉 화자가 있는 시간은 이행의 중간이 아니라 "공허한 동질적 시간" 속으로 끼어든 카이로스의 시간이다. 즉 과거에서 미래로 가는 이행이나 일시적인 정지상태가 아니라 이질적인 두 개의 시간 "카이로스와 크로노스"가 하나가 된 순간으로 과거와 현재와 미래가 압축된 시간이고, 바로 이 순간에 "메시아가 들어올 수 있는 작은 문"(Mills 105)이 열린다. 디킨슨은 "수백 년"이 흘렀는데도 "그날 하루보다 짧게" 느낀다.

이것은 과거 현재 미래가 연속적으로 진행되는 연대기적 시간이 아니고 수백 년과 "그 날 하루"가 압축된 순간, 즉 카이로스의 시간이다. 이처럼 압축된 카이로스의 시간은 그 핵심에 향유가 있으며 아감벤이 말하는 바 "불연속이며 충만한 유한하고 완벽한 향유의 시간"(Agamben 1993, 104)이다. 천년왕국을 기다리는 것이 아니라 지금 이 순간에 시간으로부터 자유로워져 향유를 누리는 것이다.

디킨슨은 이러한 메시아적 순간의 향유를 기적으로 묘사한다.

> 내 앞에 기적—그러고 나서—
> 내 뒤에—사이에—기적
> 바다에는 초승달—
> 기적의 북쪽에도 자정
> 그리고 기적의 남쪽에도 자정
> 그리고—하늘에는—폭풍우

> 'Tis Miracle before Me—then—
> 'Tis Miracle behind—between—
> A Crescent in the Sea—
> With Midnight to the North of Her—
> And Midnight to the South of Her—
> And Maelstrom—in the Sky— (J 721)

이 기적은 시간이나 공간이 확실치 않다. 그것은 공간적으로 뒤이기도 하고 사이이기도 하며 시간의 좌표도 확실치 않다. 시간의 서쪽에도 자정이 있고, 이 시간의 남쪽에도 자정이 있다. 이런 시간은 종말의 시간이며 동시에 기원의 시간이기도 하다. 기적은 종말과 기원의 일치에서 일어나며 이때 느끼는 행복감은 기원에서 가능했던 향유의 시간이다. 이미선은 이 구절에 대해 "화자는 시간계를 초월하여 영원으로 건너온 것이기 때문이다. 더구나 의식은 여전히 살아남아 있고, 더욱 넓은 시야를 확보하게 된 것이다"(이미선 32)라고 한다. 그러나 이때 기적은 단순히 영원에 이른 것이 아니다. 오히려 중단으로 메시아가 들어올 수 있는 작은 문이 열리고 향유의 시간이 펼쳐진 것이다.

이 향유의 시간은 언어로는 도저히 설명할 수 없는 시간이기도 하다. 아감벤의 말대로 "인간의 말은 한정되어 있어 단어 속에는 말해지지 않은 것이 담겨 있다. … 말해진 모든 것은 무한한 해석이 가능한 말해지지 않은 것 안에 자리매김되어야 한다"(Agamben 1999, 56). 디킨슨의 시 「산 위에 핀 꽃을 서술하다」("Bloom opon the Mountain stated")에는 자연의 현현을 묘사하는 가운데 서술의 한계, 즉 언어의 한계를 넘어서고자 한다.

내가—서술하는 동안—꽃잎은 엄숙하게
북쪽 멀리까지—그리고 동쪽—
남쪽 멀리까지—그리고 서쪽까지 퍼져나가—
절정을 이룬다—휴식 속에서—
그리고 산은 저녁에
어울리는 표정을 짓는다—
전혀 찡그리지 않고
자신의 경험을 내보인다—

While I state—the Solemn Petals—
Far as North—and East—

Far as South — and West expanding —
Culminate — in Rest —
And the Mountain to the Evening
Fit His Countenance —
Indicating by no Muscle
His Experience — (J 667)

노을을 꽃에 비유하는데, "서술"한다는 화자의 노력은 노을이 만들어 놓은 어마어마하게 크고 아름다운 꽃에 비하면 아주 보잘 것이 없다(Kohler 78-79). 노을은 애도 쓰지 않고, 즉 "전혀 찡그리지도 않고" 경험을 표현한다. 그리고 하늘에서 여유롭게 휴식을 취하면서 꽃잎의 "엄숙한" 개화라는 절정에 다다른다(Kohler 80). 이는 은유 자체를 부인하는 것이다. 디킨슨이 묘사한 노을은 은유 너머의 차원에 있으며, 다시 말해 어떤 언어적인 시도도 무력함을 인정한다. 디킨슨은 이런 한계를 넘어선 언어 이전 혹은 너머의 세계에서만 가능한 향유를 노을의 이미지를 통해 포착한다. 지는 해는 소멸하고 순환하는 것처럼 보이지만, 디킨슨은 소멸이나 순환이 아니라 노을의 정지 상태에 주목한다. 그것은 "완전히 드러내지도" 않고 "완전히 감추지도 않는" 것으로 보인다. 그녀는 이것이 "글쓰기의 고리를 끊고 … 쓰인 언어가 아니라 축제적으로 축복받는 언어"(Agamben 1999, 57)임을 보여준다. 이 순간의 시간은 기원으로 돌아가 그 당시 누리던 향유를 다시 느끼는 시간이며 동시에 영원히 지속되는 시간이기도 하다.

4. 나가는 말

아감벤의 중단과 향유의 관점에서 디킨슨의 시를 분석할 때 우선은 유한과 영원이라는 이원적 대립을 넘어서게 되며, 따라서 그동안 디킨슨의 시간에서 간과되었던 측면이 새롭게 드러난다. 이 논문이 중단에서 특히 주목한 점은, 중단이 파괴이지만 동시에 구원이라는 점이다. 시는 이러한 중단을 드러내기에 가장 적합한 매체이며 디킨슨의 경우 특히 줄표와 행 바꾸기로 효과적으로 중단을 표현하고 있다. 디킨슨은 시계추가 멈추는 연대기적 시간의 중단에서부터 시, 달, 해가 모두 무의미해지는 중단으로 인한 시간의 압축, 죽음으로 인한 중단까지 중단의 여러 측면을 다루고 있다.

특히 폭풍으로 인한 전면적인 중단의 이미지는 베냐민의 새로운 천사의 상황과 겹쳐진다. 모든 것이 파괴되지만 이는 파괴에 그치지 않고 새로운 시간이 열리는 틈이기도 한 것이다. 집과 울타리가 날아가 버린 폐허 다음에도 세상은 남아 있고 그 세상에는 메시아적 시간이 있다. 그것은 "연대기적 시간과 일치하지도 않고 그렇다고 그 위에 추가하는 것도 아니며, 순간을 포착하여 성취에 이르게 하는 것"(Agamben 2005, 71)이다.

디킨슨의 시는 중단의 순간, 즉 "연속적인 선적 시간의 노예가 아니고 시간으로부터 해방될 때"(Agamben 1993, 104) 무한히 계속되는 공허한 시간 대신, 완벽한 향유의 시간을 누릴 수 있음을 보여준다. 이러한 향유의 시간을 디킨슨은 기적이라고 칭하며 죽음에서 그 작은 틈을 엿본다. 그에게 죽음은 나락으로 떨어지는 것이 아니라 천국으로 가는 작은 문이다. 죽음으로 인한 중단으로 인해 메시아가 들어올 수 있는 작은 문이 생기고 인간은 본래의 상태로 돌아가 부활한 자가 된다. 이 지점에서는 영원과 유한의 구분이 불가능해진다.

언어 너머의 향유의 시간이 재현된 것은 태양이 사라지는 어느 중단의 순간 사방으로 퍼지는 노을의 아름다운 이미지 속에서이다. 이때 자연은 언어의 한계 너머에 있는 향유의 상징이 된다. 디킨슨은 이처럼 중단의 순간을 포착하고 그 순간에 충만한 향유를 보여줌으로써 유한이나 영원으로 범주화되지 않는 새로운 향유의 시간을 보여준다.

■ 인용문헌

아감벤, 조르조. 『세속화 예찬』. 김상운 역. 서울: 난장, 2010.

윤교찬 · 강문순. 「아감벤의 '목적 없는 수단'과 벤야민의 이미지로서의 역사철학 그리고 드보르 영화의 몽타주 기법」. 『영어영문학 21』 27 (2014): 25-44.

윤효녕. 「에밀리 디킨슨의 시에 나타난 죽음의 책략」. 『19세기영어권문학』 14 (2010): 53-73.

이광운. 「프로스트의 초기 시와 소통의 시학」. 『신영어영문학』 52 (2012): 153-70.

이미선. 「에밀리 디킨슨 시의 역설」. 『현대영미어문학 21』 (2003): 17-36.

이혜원. 「김수영 시의 동시대성과 중단의 미학」. 『현대문학의 연구』 53 (2014): 137-71.

주혁규. 「타자성의 지형학 그려내기, 디킨슨의 시 쓰기」. 『새한영어영문학』 55 (2013): 83-102.

Agamben, Giorgio. *Infancy and History: the Destruction of Experience.* Trans. Liz Heron. London: Verso, 1993.

_______________. *Potentialities: Collected Essays in Philosophy.* Trans. Daniel Heller-Roazen. Stanford, CA: Stanford UP, 1999.

_______________. "Difference and Repetition: On Guy Debord's Films." *Guy Debord and the Situationist International, Texts and Documents.* Ed. Tom McDonough. Cambridge, MA: MIT P, 2002. 313-19.

_______________. *The Time That Remains, A Commentary on the Letter to the Romans.* Trans. Patricia Daley. Stanford, CA: Stanford UP, 2005.

Benjamin, Walter. "On the Concept of History." *Selected Writings, Volume 4, 1938-1940.* Eds. Howard Eiland and Michael W. Jennings. Trans. Harry Zohn. Cambridge, MA: Harvard UP, 2003. 389-400.

Day-Lindsey, Lisa. "Emily Dickinson's There Came a Wind Like a Bugle." *The Explicator* 68 (2009): 29-32.

Engle, Patricia. "Dickinson's I Could Not Stop For Death." *The Explicator* 65 (2007): 72-75.

Ford, Thomas W. *Heaven Beguiles the Tired, Death in the Poetry of Emily Dickinson.* University, AL.:

U of Alabama P, 1966.

Johnson, Thomas H. *The Poems of Emily Dickinson*. Cambridge: Harvard UP, 1955.

Kohler, Michelle. "The Apparatus of the Dark: Emily Dickinson and the Epistemology of Metaphor." *Nineteenth-Century Literature* 67 (2012): 58-86.

Lachman, Lilach. "Time-Space and Audience in Dickinson's Vacuity Scenes." *The Emily Dickinson Journal* 12 (2003): 80-106.

Mills, Catherine. *The Philosophy of Agamben*. Montreal and Kingston: McGill/Queen's UP, 2008.

Philips, Carl. "Hours." *Kenyon Review* 36 (2014): 162-66.

Shaw, Mary Neff. "Dickinson's I Could Not Stop for Death." *The Explicator* 50 (1991): 20-21.

Spencer, Mark. "Dickinson's I Could Not Stop for Death." *The Explicator* 65 (2007): 95-96.

Stocks, Kenneth. *Emily Dickinson and the Modern Consciousness*. Houndmills and London: Palgrave Macmillan, 1988.

Wolosky, Shira. *Emily Dickinson, A Voice of War*. New Havens: Yale UP, 1984.

3부

소수자-되기와 문학

7

들뢰즈의 소수자-되기와 문학*

1. 들어가는 말

들뢰즈Gilles Deleuze에 따르자면 존재는 늘 되기이며 견고한 정체성을 가진 주체는 없다. "되기는 소수적이며 모든 되기는 소수자-되기이다"(들뢰즈 · 가타리 2001, 550). 정의상 되기는 다수가 지배하는 영토에서 탈주하는 것이므로 소수자-되기가 될 수밖에 없다. 좀 더 자세히 살펴보자면 소수자-되기는 이항대립적인 권력구도로부터 탈영토화하여 새로운 존재가 되는 것이다. 권력의 중심인 기준norm은 불변인 반면, 소수자-되기는 이 중심으로부터의 탈주다. 들뢰즈는 "성인/아이, 백인/유색인, 이성애/동성애, 남성/여성의 권력 관계를 해석해낸다. 각 대립항의 지배적인 항목이 기준이 되고 기준으로부터 탈주"(Bogue 2007, 22)가 소수자-되기이다. 이런

---

* 조애리 · 유정화

점에서 들뢰즈의 존재론은 혁명적이다.

기준인 다수는 숫자로서 다수를 의미하지 않고 권력에서의 위치를 말한다. 다수는 "상대적으로 더 큰 양이 아니라 … 기준의 규정, 가령 남성-어른-백인-인간 등을 의미한다"(들뢰즈 · 가타리 2001, 550). 다시 말해, 여성이 남성보다 숫자가 많을 수도 있고 흑인이 백인보다 숫자가 많을 수도 있으나 다수는 늘 권력을 가진 지배적인 기준을 이루는 백인/남성인 것이다. 들뢰즈에게 소수자-되기는 백인/남성이 정점을 이루는 권력구도에서 탈주하는 것이다.

이러한 소수자-되기는 문학에서도 핵심적 주제이다. 들뢰즈가 『카프카, 소수문학』(*Kafka, Minority Literature*)을 출판한 이후 소수자-되기, 특히 소수 언어의 문제가 부각되었다. 국내 연구로는 김승숙이 『소수의 시학, 들뢰즈와 가타리의 리좀적 사유양식』에서 언어의 탈영토화와 연관하여 카프카를 연구하고 있으며, 이진경은 소수, 소수 언어, 소수문학의 개념을 설명하고 있다. 국외 연구로는 보그Ronald Bogue가 『들뢰즈와 문학』에서 소수 언어에 초점을 맞추어 소수 문학을 정의한 후 클라이스트Heinrich von Kleist를 분석하고 있다.

이처럼 기존의 연구는 주로 소수 언어와 카프카에 집중되어 있으며, 언어뿐 아니라 되기, 정치성, 집합성까지 고려한 소수자-되기의 관점에서 이루어진 연구는 부족하다. 본 연구는 소수 언어라는 틀에만 국한하지 않고 소수자-되기를 중심에 놓고 카프카Franz Kafka뿐 아니라 멜빌Herman Melville과 휘트먼Walter Whitman까지 분석하고자 한다. 기존의 연구가 카프카의 체코식 독일어, 즉 소수 언어에 관심을 두었다면, 「필경사 바틀비」("Barttleby the Scrivener")에서는 모국어 내에서의 소수적 언어사용에 초점을 맞추어 그것이 함축하는 사회적 의미는 무엇인지 살펴볼 것이다.

이어 「변신」("Metamorphosis")과 『모비 딕』(*Moby Dick*)에서는 본격적으로 소수자-되기가 어떤 양상으로 구현되며 그 성과와 한계는 무엇인지 검토할 것이다. 소수자-되기의 대표적인 예가 동물-되기인데, 동물-되기는 동물에 감응하여 같은 속도와 강도를 갖는 것이다. 우선 「변신」에 이러한 동물-되기가 어떻게 구현되었으며 그 한계가 무엇인지 짚어볼 것이다. 이어서 『모비 딕』에서는 어떻게 동물-되기가 결연에 이르는지 분석할 것이다. 결연은 서양란과 말벌이 각자 분자적 존재로 탈주하여, 즉 말벌이 서양란의 생식기가 되고 서양란이 말벌의 오르가슴의 대상이 되어 식별불가능한 지대로 진입하는 것을 말한다. 모비 딕-되기를 하는 에이헙Ahab과 에이헙-되기에 이르는 『모비 딕』 사이에 이러한 결연을 볼 수 있다는 가설 아래 『모비 딕』을 분석할 것이다. 끝으로 휘트먼의 「나의 노래」("Song of Myself")에서는 소수자-되기가 개별적인 탈주에 머무르지 않고 어떤 집합적 배치를 보이며 마침내 어떻게 혁명적 비전에 이르는지 보여줄 것이다.

2. 소수적 언어사용과 문학, 「필경사 바틀비」

들뢰즈에게 소수 언어가 중요한 것은 그것이 지배적인 언어를 탈주시키고 변형시킬 수 있기 때문이다. 소수 언어의 "첫 번째 특징은 언어가 어떤 식으로든 높은 계수의 탈영토화에 의해 변용된다는 것이다"(들뢰즈 2004, 43-44). 그렇다면 소수 언어가 어떻게 지배적인 언어를 변형시킬 수 있을까? 들뢰즈는 빈약한 표현밖에 할 수 없는 소수 언어가 단어, 문법, 문장구조를 재구성해서 지배 언어의 한계를 보여준다고 한다. 이렇게 극단까지 몰고 가는 소수 언어는 "지배 언어를 스스로에게 낯설게 만들고"(빌라니 · 싸소 253) 새로운 언어를 만들게 된다. 소수 언어는 잠재성의 힘을 갖고 "지속적인 변형"(Idema 39)을 가능케 하는데, 아이러니컬하게도 소수 언어의 빈약한 표현이 강점이 된다. 그 대표적인 예가 카프카다. 그는 빈약한 체코식 독일어를 끝까지 밀고 나가 극단 혹은 한계로 향하도록 했다. 그 당시 프라하 학파 사람들은 "상징주의, 몽환주의, 신비주의, 은폐된 기표 등과 같은 모든 자원을 부풀리는" 방식으로 체코식 독일어를 "인위적으로 풍성하게 하려고"(들뢰즈 2004, 49) 했다. 그러나 이들과 대조적으로 카프카는 체코식 독일어를 "더 빈약하게 만들고, 더 불안정하게 만들고, 더 금욕적으로 어휘를 제한함으로써 정서적으로 더 강렬한 언어를 만들었다"(Bogue 2007, 19). 카프카는 이런 방식으로 독일어 전체를 탈영토화시켜 새로운 언어로 창조했다.

들뢰즈의 소수 언어 개념은 체코식 독일어 같은 소수 언어뿐 아니라 모국어 내에서도 작동한다. 들뢰즈는 "걸작은 일종의 외국어로 쓰인다"고 생각하는 프루스트를 인용하며, "외국인이 되어라. 하지만 모국어가 아닌 다른 언어로 말하는 경우만이 아니라 너의 모국어 속에서 외국인이 되어라. 2개 국어나 다국어 병용자로 존재하라"(들뢰즈 · 가타리 2001, 190-91)고 한다. 체코식 독일어가 빈약한 표현을 극단까지 밀고 나가 독일어 전체를 새롭게 창조하듯이 모국어 안에서도 소수적 언어 사용이 언어를 새롭게 변용시킬 수 있다. 다시 말해, "비표준적 문장, 비문법적인 문장 등의 모국어의 소수적 사용은 … 모국어 전체를 불안하게 만들고 개념을 극한까지 밀고 나가서 새로운 언어를 창조한다"(들뢰즈 2000, 195). 들뢰즈는 커밍스의 "그들이 갔다 그들의 왔다"(they went their came)란 표현을 예로 들어 언어의 소수적 사용을 설명하는데, 이 표현은 "그들이 왔을 때 갔다, 그들은 갈 길을 갔다, 그들은 왔고 갔다"(they went as they came, they went their way, they came and went)와 같은 표준적인 문장들의 조합이 아니고, 비정형적인 문장을 통해서 표준적인 문장의 평형 상태를 깬다. 이처럼 비정형적인 표현은 언어 전체를 "탈영토화시키는 정점을 이룬다." 다시 말해, "랑그의 요소들, 형식들, 개념들"(들뢰즈 · 가타리 2001, 192-93)이 극단을 향하게 되면서 랑그 자체가 변형되는 것이다.

모국어 내에서 언어의 소수적 사용을 잘 보여주는 예는 멜빌Herman Melville의 「필경사 바틀비」("Bartleby the Scrivener")에서 바틀비가 쓰는 독특한 어법이다. 그는 처음에 변호사가 교정 작업을 하자고 했을 때 "그렇게 하지 않는 게 낫습니다"(I prefer not to)라고 말하는 것을 시작으로, 변호사가 심부름을 보내려고 할 때나 옆방으로 오라고 할 때도 반복적으로 같은 어법을 되풀이한다. 바틀비는 "그렇게 하지 않는 게 낫습니다"라는 기존 문법의 범주로는 분류될 수 없는, 긍정도 아니고 부정도 아닌 비정형적인 표현을 씀으로서 소수자-되기에 이른다. 바틀비의 "그렇게 하지 않는 게 낫습니다"라는 비문법적이고 비정형적인 어법은 지배적인 언어의 문법이나 구조 속에서는 독해될 수 없다. "밋밋하면서도 참을성 있으며 부드러운 목소리로 소곤거리듯 말한 그 어법은 불명료한 덩어리와 특이한 숨결을 형성하면서 돌이킬 수 없는 것에 이른다"(들뢰즈 2000, 126). 이 어법은 긍정과 부정 사이에 존재하며 우리를 식별불가능한 지대로 데려간다. 비정형적 표현이 반복되면서 표준적인 언어 질서는 흐트러지고 영어 전체가 불안정해진다.

들뢰즈는 이러한 소수적 언어 사용을 음악의 단조에 비교하며 다수언어를 탈주시키는 점을 강조한다. 위대한 작가들은 영원히 불균형 상태에 있는 음악의 단조短調, mode mineur처럼, 다수언어를 소수화하고 언어를 탈주시키며 끊임없이 언어를 불균형 상태에 둔다(들뢰즈 2000, 195). 언어의 불균형 상태를 들뢰즈는 긍정적으로 평가하는데, 이 순간 잠재성이 드러나고 언어 전체가 탈영토화되어 새로운 언어가 창조되어서라고 한다. 이진경의 표현대로 "다수자들이 지배하는 세계 안에서 변형된 양식의 언어를 통해 자신을 표현함으로써 다른 많은 사람들을 촉발하고 변용시키며, 새로운 변이의 지대를 창출하기 때문이다"(이진경 44).

들뢰즈에게 소수적 언어사용은 일탈이 아니라 지배 언어 자체를 변화시키는 것이다. 「필경사 바틀비」는 그 어떤 작품보다도 지배 언어의 변화를 뚜렷이 보여준다. "그렇게 하지 않는 게 나을 듯합니다"(would prefer not to)라는 비정형적 표현은 바틀비가 계속 쓰는 말이지만, 점차 니퍼즈Nippers와 터키Turkey, 그리고 변호사까지도 "낫다"라는 표현을 쓴다.

> "니퍼즈 씨." 내가 말했다. "당신은 당분간 물러나 있는 게 <u>낫겠어</u>."
> 어찌 된 일인지 최근에 나는 이 "<u>낫다</u>"라는 단어를 딱히 적절하지 않은 경우에도 무심결에 습관적으로 사용하게 되었다. …
> "변호사님, 미안합니다만, 저도 어제 바틀비에 대해서 생각해 보았는데요. 제 생각에 만약 그가 매일 한 쿼트의 좋은 맥주를 먹는 게 <u>낫다고</u> 한다면, 결점도 고치고 서류검토 작업에도 자발적으로 참여하게끔 하는 데 도움이 될 수 있을 것 같습니다."
> "당신도 그 말을 쓰는군" 하고 나는 약간 흥분해서 말했다. …
> "아, ~가 <u>낫습니다</u> 라는 표현을 말씀하시는군요? 네, — 묘한 말입니다. 저도 안 쓰는 말입니다. 하지만 제 말은, 만약 그가 마시는 게 <u>낫다고</u> 한다면."
> 나는 그의 말을 가로막으면서, "터키 씨, 이제 이 방에서 나가도 좋습니다"라고 말했다.

"예, 물론이지요, 변호사님. 제가 나가는 것이 나으시다면." (Melville 1989, 81-82. 밑줄은 저자)

문법에 맞지 않는 바틀비의 어법은 "불확정이나 식별 불능한 지대를 증가시켜서"(들뢰즈 2000, 140) 언어 전체를 불안정하게 만든다. 이 어법의 영향력이 얼마나 큰지는 역으로 이 어법을 피하기 위해 변호사가 보이는 행동에서 볼 수 있다. 그는 자신마저 "그 단어에 전염"되자 그 사무실에서 이사를 한다. 그러나 바틀비가 계속 그 사무실을 떠나지 않자 이사 온 입주자에게서 바틀비를 데리고 가라는 연락이 오고 공포에 질린 변호사는 사륜마차를 타고 뉴욕 북쪽과 교외를 이리저리 돌아다니면서, 한동안은 사륜마차에서 살다시피 한다. 니퍼즈나 터키와 달리 변호사는 바틀비의 소수적 언어 사용을 거부하기 때문에 오히려 더 깊은 혼란에 빠진다. 바틀비의 소수적 언어 사용은 지배적 언어를 감염시키고 그것의 한계를 드러내며, 주인공인 변호사가 보이는 지나친 당혹감은 역으로 소수자-되기의 힘을 보여준다.

3. 동물-되기의 두 가지 양상: 「변신」과 『모비 딕』

소수자-되기의 대표적인 한 전형이 동물-되기이다. 동물-되기는 인간이라는 지배적 기준에서 탈주하면서 인간/동물이라는 이항대립을 파괴하는 것이다. 동물이 된다고 할 때 가장 먼저 떠올릴 수 있는 것은 우리가 경험적으로 알고 있는 동물 흉내를 내는 것이나 아니면 동물을 은유로 사용하는 것이다. 그러나 동물-되기는 이 두 가지 중 어느 것도 아니다. "동물-되기란 무엇인가? 그것은 동물을 흉내 내는 것인가? 곰의 행태를 흉내

낸다고 곰-되기가 이루어진 것일까? 새처럼 날갯짓을 한다고 새가 되는 것일까? 들뢰즈・가타리는 그런 것들은 오히려 장애물이며 차라리 되기의 중지일 뿐이라고 말한다. 그렇다면 동물-되기란 무엇일까? 그렇다고 은유나 알레고리도 아니다"(이정우 70-71). 동물-되기는 모방이나 동일시가 아니고 동물과 같은 강도로 자신을 변형시키는 것이다. 다시 말해 동물의 신체에 감응할 수 있는 속도와 힘을 자신의 신체에 부여할 수 있어야 한다. 이수경의 표현대로 "어떤 특정한 동물이 되는 방식으로 자신의 신체적 힘과 에너지 분포를 바꾸어 새롭게 만들어내 그 동물과의 감응을 생산하는 것이다"(이수경 414).

카프카의 「변신」은 주인공 그레고르가 곤충이 된 상태에서 시작한다. 처음 증상은 그가 목소리를 잃는 것이다. 인간과 소통의 단절은 인간 편에서 본다면 인간보다 열등한 존재가 되는 것이다. "그가 우리를 이해할 수 있다면 협상도 가능할 텐데..."(70)라며 사람들은 그레고르가 말하지 못하는 것을 한탄한다. 하지만 들뢰즈의 관점에서 보면 이것은 인간이라는 지배적 기준에서 탈주하여 탈영토화하는 것이다. "카프카의 작품에서는 언어의 붕괴가 동물-되기 과정과 일치하며"(Idema 40), 비인간적인 측면은 오히려 인간의 한계를 지적하는 점에서 창조적이라고 할 수 있다. 즉 인간중심적 세계관에 균열을 일으키며 탈주하는 것이다. "그레고르는 곤충이 되지만, 이는 … 그의 아버지가 찾을 수 없었던 출구를 찾아내기 위한 것이고, 지배인, 상업, 관료들에게서 벗어나기 위한 것이며 윙윙거리는 소리 말고는 목소리가 어떤 소리도 내지 않는 그런 영역에 도달하기 위한 것이었다"(37-38). 그는 인간이란 존재에 갇혀 억눌려있던 잠재성을 발현시킨다. 이처럼 동물-되기는 "인간이 자신의 정체성이 아닌 다른 정체성으로 생각해보는 창조적 기회"(Parker-Starbuck 659)다. 여기서 그의 소리가 인간의 소리도 곤충의 소리도 아니라는 점에 주목해야 한다. 그는 사람들과 소통하지 못하지만 그렇다고 그의 소리가 정확하게 곤충 소리와 일치하는 것도 아니다. 그는 인간과 곤충의 중간지대, 식별 불가능한 지대에 있는 것이다. 그는 "두 개의 다양체 사이에 있는 문턱, 문, 되기"이며, "인간에서 동물로, 인간이나 동물에서 분자로, 분자에서 입자로, 그리고 마침내 지각불가능한 것으로 나아간다"(들뢰즈 · 가타리 2001, 474). 다시 말해 그레고르는 "인간-곤충의 지각 불가능지대"에서 "변용 과정"(보그 2006, 176)에 들어선 것이다.

그레고르는 단지 목소리를 잃었을 뿐 아니라 움직임 또한 점점 더 동물의 속도에 가까워진다. "벽과 천장을 이리저리 가로질러 기어다니는 습관을 들였다. 특히 그는 천장에 매달려 있었다. 그건 마룻바닥에 누워있는 것과는 사뭇 달랐다. 한결 자유롭게 숨 쉴 수 있었으며 가벼운 진동이 전신을 스쳐 지나갔다"(45). 이제 그의 신체는 곤충의 신체에 감응해서 곤충의 속도를 지니게 된다. 그는 인간에서 완전히 탈영토화되어 동물의 배치에 이른 것이다. 그가 보여주는 동물-되기는 "'망설이면서도 처음으로 고개를 들이밀기', 흰 벽을 뚫고 검은 구멍을 빠져나가기, 경직된 선분을 벗어나기, 습관이 된 배치를 바꾸기, 그리하여 탈영토화하기이다"(진은영 377).

다른 식구들과는 달리 여동생은 그레고르의 곤충-되기를 받아들인다. 그녀는 "그레고르가 한껏 많이 기어 다닐 수 있게끔 방해가 될 만한 가구들, 그러니까 우선 장롱과 책상을 치워버렸다"(45). 이로써 그와 여동생 사이에는 새로운 관계가 형성된다. 이를 들뢰즈는 분열적 근친상간으로 규정한다. 분열적 근친상간은 오이디푸스적 근친상간과 전혀 다른 것으로 "강화된 접속"과 "동물과도 같은 비인간적 성욕"(들뢰즈 2004, 40-41)을 뜻한다.

그러나 그레고르의 탈영토화는 결국 좌절된다. 그레고르는 모피 입은 부인의 초상화를 치우지 못하게 하고 그 초상화에 달라붙지만, 여동생은 그것을 참지 못한다. 초상화에 대한 질투 때문에 여동생이 그를 비난하는 순간 둘 사이의 분열적 근친상간은 깨지고 탈영토화는 좌절된다. 나아가 아버지가 사과를 던져 상처를 입히자 그레고르는 식구들에 대한 사랑 때문에 죽음을 택하는 착한 아들로 재영토화되어 버린다. "그는 감동과 사랑으로써 식구들을 회상했다. 그가 없어져 버려야 한다는 데 대한 그의 생각은 아마도 여동생의 그것보다 한결 더 단호했다"(73). 그레고르는 오이디푸스의 삼각형 안으로 재영토화되고, 그의 죽음 이후 가족은 평온하게 다시 폐쇄적 영토로 돌아온다. 이러한 그레고르의 재영토화에 대한 들뢰즈의 질문은 다음과 같다. "그렇지만 이것이 그레고르 탓인지는 확실치 않다. 오히려 이는 동물-되기가 자신의 원칙을 충족시키는 데 이르지 못하기 때문은 아닐까? 언제나 불충분함을 야기하고 실패하게 만드는 어떤 모호성이 동물-되기에 있기 때문은 아닐까? 동물이 너무 형식화되어 있고 너무나 의미화되어 있고(기표적이고), 너무 영토화되어 있기 때문은 아닐까?"(들뢰즈 2004, 41). 들뢰즈는 그레고르의 실패를 카프카가 동물과 인간의 중간지대, 즉 식별불가능한 지대를 견지하지 못하고 동물-되기를 동물이라는 견고한 상태와 동일시한 것이 아닌가 하고 의심한다. 동물-되기의 가능성을 보여준 「변신」은 결국 재오이디푸스화 되는 것으로 끝나고 만다.

「변신」이 동물-되기의 가능성과 동시에 실패를 보여준다면 멜빌의 『모비 딕』은 동물과 인간의 결연이라는 새로운 차원의 동물-되기를 보여준다. 우선 결연의 정의를 살펴보자. 결연은 "혈통이나 계통에 의한 진화"가 아니라 공생이다. 들뢰즈가 결연의 대표적인 예로 드는 것은 말벌과 서양란이다. "말벌은 해방되어 서양란의 생식기가 되고 서양란도 자신의 생식에서 해방되어 말벌의 오르가슴 대상이 된다는 점에서 말벌과 서양란에 공통적인 탈영토화가 생산된다"(들뢰즈 · 가타리 2001, 555). 결연에서는 말벌과 서양란의 이중적인 탈영토화의 과정이 일어나는 것이다. 이 둘의 관계는 "이중적 교차"이며 "서로 절대적 관련을 가지고 있지는 않은 두 존재들의 비평행적 진화"(보그 1995, 181-82)이다.

에이헙과 모비 딕은 동시에 탈영토화하고 탈영토화시키는 힘이 된다. 서로가 상대방의 몰적 존재를 느슨하게 하여 식별 불가능한 지대에서 분자적 존재가 되게 한다. 이런 이중적인 되기는 "서로 모방하는 것도, 상대방과 동일시하는 것도 아니다. 오히려 상대방의 정동affect을 점유하고 상대방의 세계 속으로 들어가는 것이다"(Evans 147). 물론 에이헙과 고래가 처음부터 결연을 보여주는 것은 아니다. 처음 고래잡이에 나섰을 때 에이헙에게 고래는 상업적인 이윤의 대상이었을 뿐이다. "1851년 『모비 딕』 출간 당시 미국의 고래 산업은 영국과 네덜란드를 물리치고 절정에 달했다. 고래 기름이 너무 비싸서 가정에서는 사용하지 못하고 공장이나 등대에서 사용했다. 특히 모비 딕 크기의 고래는 비싼 상품이었다. 60피트 길이의 고래라면 100배럴의 기름 생산이 가능했다"(Hamilton 11). 그러나 고래에게 다리를 잃은 후, 에이헙에게 모비 딕은 이윤의 대상에서 복수의 대상으로 변화한다. "미친 에이헙이 보기에 모든 악이 모비 딕으로 구현되어 나타났고 실제로 공격할 수 있는 대상이 되었다. 그는 거대한 고래의 살덩어리 위에 아담 이후 인류가 느낀 모든 분노와 증오를 쌓아 놓았다"(160). 그의 강박적인 고래 추적은 고래의 의미를 고정시키려는 시도이다. "에이헙은 끊임없이 삭제하고 대체하면서 복사하고 또 복사해가며,

한 장 또 한 장을 만든다. 거의 매일 밤 연필로 쓴 기호가 지워졌고 다른 기호로 대체되었다"(171). 에이헙은 고래의 움직임에 대한 무수한 기록을 "정확하게 복사해 원본의 선 안에 기입하면 불확실한 의미가 확실하게 고정될 수 있다고 믿는 것이다"(Ziarek 277).

고래가 이윤의 대상이건 복수의 대상이건 고래는 대상이고 에이헙은 주체였다. 그러나 이제 에이헙의 추적은 본질적으로 그 성격이 변화한다. 그는 "저항할 수 없는 고래-되기(들뢰즈 · 가타리 2001, 575)에 들어간다. 에이헙은 자신의 부관이 복수심으로 모비 딕을 추적하고 있다고 비난하자, 그는 자신에게는 모비 딕과 개인적인 사연도, 이렇다 할 복수심도, 장황하게 늘어놓을 신화도 없다고 강변한다. 이제 그는 복수심에 차서 모비 딕을 추적하는 것이 아니다. 그는 불가해한 벽이 된 모비 딕에 감응한다. "흰 고래는 저 벽이다. 내 곁에 우뚝 솟아 있는. 흰 벽. 저 너머에는 아무것도 없다고 생각하는 경우도 있다. 그러나 그것으로 충분하다"(Melville 1967, 144). 에이헙에게 모비 딕은 "악마적인 결연의 항"으로, "벽을 가로질러 선장을 계속 끌고 가는 선"(들뢰즈 · 가타리 2001, 474)이 된다. 그가 되기를 원하는 고래는 가장자리를 벗어난 고래, 즉 몰적 존재로서의 고래 영역을 벗어난 고래이다. 그것은 "구분되지 않고 식별되지 않는 객관적인 지대, 두 다양체 사이에 존재하는 지대다. 에이헙은 모비 딕이 되면서 식별불가능한 지대로 들어간다"(Deleuze 1997, xx). 에이헙은 고래와 인간의 중간지대에서 고래와 같은 강도를 지니고자 한다. 이러한 그의 되기는 마치 서양란-되기를 하는 말벌의 변형과 유사하다.

에이헙의 고래-되기와 동시에 고래의 에이헙-되기가 진행된다. 에이헙과 마찬가지로 모비 딕도 그 의미가 변화한다. 처음 등장했을 때 고래는 인간이 분류한 범주로 의미가 고정된다. 『모비 딕』 전체의 1/3 이상이 고래에 대한 백과사전적 지식을 나열하고 있다. 신문수의 지적대로 "모비 딕의 중앙부를 차지하는 이른바 '고래학의 장'들은 고래와 고래잡이에 대한 생물학적, 해부학적, 사회학적, 경제학적, 형이상학적 분석과 탐구에 바쳐져 있다"(신문수 46). 이것은 고래를 인간이 만든 범주에 속하게 하여 견고한 정체성을 부여하려는 시도이다. 다음 단계로 모비 딕은 구체적인 살아있는 동물로 제시된다. "그것은 저 혼자인양 유유히 헤엄치며, 아주 곱고 아름다운 양털과 같은 창백한 물거품의 원환 속에 감싸여 있었다. 앞 쪽 너머로 조금 치켜든 두부에 거대하게 말려들어간 주름도 보인다. 그리고 또 그 앞쪽의 부드러운 터키 융단 같은 물결 위에는 커다란 젖 빛깔의 이마에서 하얗게 번쩍이는 그림자가 너울거리고, 그림자를 따라 잔물결이 장단을 맞추면서 일렁이고 있었다"(Melville 1967, 548). 이런 구체적인 묘사는 인식론적인 분류와는 다르지만 여전히 모비 딕을 견고한 정체성을 지닌 동물로 고정시킨다. 그러나 에이협과 마찬가지로 모비 딕 역시 변화의 과정을 거친다. 결연은 동일시라기보다는 "전염"이다. 즉, 외부의 힘이 들어와서 전염되듯이 이루어지는 관계이다(Parker-Starbuck 661). 모비 딕이 에이협의 피부를 뚫고 들어와서 존재를 변화시키지만 동시에 에이협이 모비 딕의 피부를 뚫고 들어가 전염시키는 것이다. 이제 모비 딕은 더 이상 인식론적인 범주도 파도와 조화를 이루고 있는 구체적인 고래도 아니다. 서양란이 말벌-되기를 하듯이 에이협-되기를 한 모비 딕이다. 모비 딕은 "참을 수 없는 순백, 하얗고 눈부신 순수한 성벽"(들뢰즈 · 가타리 2001, 575-76)이 되어 에이협에게 감응하고 있음을 보여준다. 이제 모비 딕은 동물의 속도가 아니라 에이협의 강도와 속도를 갖게 된다. 에이협뿐 아니라 모비 딕도 인간과 동물의 중간지대 즉 식별 불가능한 지대에 있게 된 것이다.

에이헙과 모비 딕의 관계는 혼합이나 결합이 아니라 에이헙의 모비 딕-되기와 모비 딕의 에이헙-되기를 통해 결연과 공생을 보여준다. 착한 아들로 재영토화하여 오이디푸스적 가족 삼각형을 옹호하는 것으로 끝난 그레고르의 동물-되기 좌절과는 달리, 에이헙과 모비 딕은 결연을 통해 성공적인 동물-되기를 보여준다.

4. 소수자-되기와 집합적 배치: 「나의 노래」

휘트먼의 「나의 노래」는 시적 화자의 되기를 통해 사회적 관심의 사각지대에 있는 소수자를 중심으로 부각시킨다. 휘트먼의 나열과 병렬식의 독특한 어법은 시적 화자인 '나'와 이질적인 것들 사이의 끊임없는 관계 맺기를 가능케 하는데, 이는 동일성에 기반한 자아의 확대가 아니다. 견고한 정체성을 가진 주체가 분자적 존재가 되어 이항대립이라는 견고한 절편에 균열을 일으키며 탈주하고 나아가 새로운 배치를 이룬다. 휘트먼의 경우 소수자-되기는 개인적인 존재론적 차원을 넘어서서, 새로운 관계의 배치를 통해 "다른 의식과 다른 감수성을 지닌 잠재적 공동체"(들뢰즈 2004, 46)를 꿈꾸는 것에 이른다. 이 장에서는 휘트먼의 소수자-되기가 집합적 배치에까지 나아가는 과정과 그것의 잠재적 혁명성을 살펴볼 것이다.

우선 휘트먼은 당시 사회에서 가장 낮은 지위에 있는 노예가 되는 과정을 통해 소수자-되기를 보여준다. 그는 노예가 되는 과정을 단계적으로 제시한다.

> 나는 개에게 쫓기는 노예이고, 개에 물려 움츠린다,
> 극심한 절망감이 엄습하고, 사수의 방아쇠 당기는 소리는 끝이 없다,

나는 담장의 난간을 움켜쥐고, 엉겨 붙은 핏덩이는 땀과 뒤엉켜 묽어져 조
금씩 흘러내린다,
나는 잡초와 돌 위로 쓰러진다,
추적자들은 제멋대로 하는 말에 박차를 가하며 바짝 잡아당긴다,
나의 멍한 귀를 조롱하며 채찍 손잡이로 머리를 사납게 후려친다.
나는 옷을 갈아입듯이 고뇌를 입는다,
나는 상처받은 자에게 어떠냐고 묻지 않는다, 내가 곧 상처받은 자가 된다,
지팡이에 기대선 채 보고 있는 동안 내 상처는 납빛으로 변한다. (66-67)

여기서 "내가 상처받은 자"가 되는 소수자-되기의 과정이 매우 감각적으로 제시된다. "나"는 노예의 공포와 절망에 신체적으로 감응하며 노예가 채찍을 맞은 채 도망칠 때 느끼는 고통을 똑같은 강도로 느낀다. 시각적 이미지는 배제한 채 주로 촉각과 청각을 통해 전달되는 고통은 즉각적인 직접성을 고스란히 담고 있다. 그러나 이러한 감응은 노예와의 동일시와는 다른 것이다. 나는 "지팡이에 기대서서 보고" 있으며, 따라서 "나"는 나도 아니고 노예도 아닌 중간지대, 즉 되기가 일어나는 근방역인 식별 불가능한 지대에 있는 것이다. 휘트먼은 그대와 나의 결합이 아니라 그대와 나 사이의 신체적인 감응에 주목하고 있다.

소수자-되기를 다루는 문학에서 소수자-되기는 사적인 차원에 그치지 않고 궁극적으로는 정치성을 띠게 된다. "소수자 문학에서는 가장 사적이고 내면적인 것도 정치적"(이진경 45)이기 때문이다. 카프카 역시 기존의 거대문학에서는 지하실에 지나지 않던 것이 소수문학에서는 빛으로 다가오는 예이다. "거대문학에서 구조물에 꼭 필수적이지 않은 지하실 같은 것이나 그저 몇 사람이 스쳐가는 듯한 관심을 주는 그런 문제들이 소수문학에서는 충만한 빛을 받으며 조명되고 생사가 걸린 핵심적인 문제가 된

다"(들뢰즈 2004, 45). 휘트먼의 경우에도 소수자-되기는 사적인 차원을 넘어서서 정치성에 기반한 동지애로 확대된다. 이때 동지애는 단순한 통합이 아니고, "그러그러한 상황에서 이룰 수 있는 단 하나의 전체를 생산하는 가변적인 관계의 모임"으로 "가변성이며 밖과의 만남이며 야외와 대로상의 영혼들이 가는 길"을 뜻한다(들뢰즈 2004, 110).

나는 기억하네, 어느 맑은 여름 날 아침에 우리가 누워있던 모습을
그대 머리를 내 엉덩이 위에 비스듬히 눕힌 채 부드럽게 내게 몸을 돌리던 것을,
그리고 내 늑골을 덮은 셔츠를 열고 드러난 내 가슴에 그대 혀를 갖다 대던 것을,
그리고 내 수염을 느끼고, 내 발을 느끼던 것을.
그러자 홀연히 내 주위에는 세상의 모든 논쟁을 초월하는 평화와 지식이 퍼져 나갔지,
그리고 나는 지금 안다네, 신의 손이 내 약속임을,
그리고 나는 지금 안다네, 신의 마음은 내 형제임을,
그리고 이 세상에 태어난 모든 이들은 역시 나의 형제이며,
여인들은 나의 누이요 연인임을. (33)

동지애나 동지 관계는 최대의 팽창과 최대의 밀도를 지니고 정치적, 국민적 성격을 획득하면서도 남성적이고 대중적인 사랑에 이른 것으로 간주된다(들뢰즈 2004, 110-11). 두 사람 사이에 느껴지는 "평화와 지식"은 "이 세상에 태어난 모든 이들"로 확대되어 모두가 "나의 형제"이며 "나의 누이요 연인"인 집합적 배치를 이룬다.

나아가 동지애는 인간과 자연 모두를 포괄하는 집합적 배치로 확대된다.

나는 공기처럼 떠나, 도망치는 태양을 향하여 나의 흰 머리카락을 나부낀다,
내 몸은 소용돌이로 쏟아지고, 레이스 조각처럼 둥둥 떠다닌다.
나는 내가 사랑하는 풀에서 자라도록 내 자신을 흙에 물려준다,
그대가 나를 다시 보고 싶거든 그대의 구두창 밑에서 나를 찾아라,
내가 누구이며 무슨 말을 하는지 그대는 잘 모르겠지만,
나는 그대에게 좋은 건강이 될 것이며,
그대의 피를 걸러서 강하게 해 줄 것이다. (89)

그는 인간이라는 몰적 존재를 거부하고 분자적 존재로 탈주하여 "바람"이 되고 "흙"이 되고 "풀"이 된다. 그는 바람의 속도와 강렬함을 지니고 흙과 같은 구조를 이룬다. 이리하여 자연이 된 "나"는 "그대"와 새로운 관계를 맺는다. 나는 그대의 "좋은 건강"이며 "그대의 피를 강하게" 해주는 존재이며 나의 것들이 그대의 것이 된다. 휘트먼은 자연과 인간이 새로운 관계망을 형성하는 집합적 배치를 보여준다. 자연과 인간은 "서로에게 스며들어 각자의 정체성이 동시에 다른 것의 정체성이 된다"(Evans 146). 이런 그의 모습은 백인/남성이 지배적 위치에서 중심을 이루는 기존의 지배적 권력구도에서 보면 이해되지 않는 모습이다. 그러나 되기의 과정에서 몰적 자아에서 탈주한 "나"는 모두를 수용하는 집합적인 배치를 가능하게 한다. 이때 "나"는 집합적 배치의 일부이지만 동시에 특이성을 간직한 존재이다. 그 자체의 특이성을 가지고 있으면서도 집합을 이룬다.

미국문학은 이러한 집합적 배치를 이루는 전형을 보여준다. 들뢰즈에 따르면 미국이 가장 다양한 소수민족들을 묶어 연방국가를 만들었다고 주장하는 한, 미국 문학은 대표적인 소수집단의 문학이고, 미국은 모든 시대, 모든 지역, 모든 나라의 핵심을 끌어 모아 그 전형을 보여준다(들뢰즈 2000, 106). 미국문학은 "순수한 특이성을 획득한" 동시에 "이 특이성들

사이에 관계나 통합을 이루어, 변이 가능한 전체"(Deleuze 1997, xxxiii)를 만들어 낸다. 휘트먼의 집단적인 배치는 잠재적인 혁명성을 지닌 문학을 가능케 한다. 그는 하나의 다른 의식과 감수성의 방법을 꾸준하게 밀고 나가, 새로운 공동체를 가능케 한다. 소수 작가의 임무는 사회적 표상으로부터 언술 행위의 배치를 끌어내어 분해하는 것이고, 그리하여 "사회적 표상을 탈주케"(들뢰즈 2004, 103) 하는 것이다. 들뢰즈에 따르면 이러한 배치들을 표현하는 문학은 다가올 "악마적인 힘" 혹은 건설하는 "혁명적인 힘"(들뢰즈 2004, 47)으로 존재한다. 휘트먼의 소수자-되기가 지닌 잠재적 혁명성은 집합적 배치에서 확인된다.

5. 나가는 말

들뢰즈에 있어 존재를 규정하는 개념인 되기는, 곧 소수자-되기를 의미한다. 되기는 권력을 가진 다수의 기준으로부터 탈주하여 소수자가 되는 것이다. 소수자-되기에는 이미 존재론적인 변화와 아울러 사회적 권력에 대한 저항이 함축되어 있다. 이 논문은 카프카, 멜빌, 휘트먼의 문학을 분석함에 있어 모국어 내의 소수적 언어사용, 동물-되기와 결연, 집합적 배치 등의 개념을 사용함으로써 소수자-되기를 좀 더 다각적으로 살펴보았으며 나아가 그것의 사회적 함의가 무엇인지 분석해 보았다.

「필경사 바틀비」에서는 소수자-되기가 소수적 언어사용을 통하여 이루어졌으며 다수 언어 전체를 변화시키고 탈영토화시키는 가운데 다수의 존재론적 변화 가능성과 그 한계를 볼 수 있었다. 바틀비의 소수자-되기는 다수가 강요하는 기준에 대한 절대적인 저항을 의미한다는 점에서 당시 지배적 권력과 가치에 대한 저항을 담고 있다. 이러한 변화와 저항은 비록 주인공인 변호사까지 변화시키지는 못했지만, 그가 중심에 있는 지배/피지배의 이항적 대립이 균형을 잃고 불안정해지는 모습을 보여주고 있다. 「변신」과 『모비 딕』에서는 소수자-되기의 가장 전형적인 예인 동물-되기의 두 가지 양상을 살펴보았다. 「변신」은 주인공이 인간과 곤충의 중간지대에 있게 되는 순간 오이디푸스적 가족에서 탈주하지만 결국 재오이디푸스화되어 소수자-되기에 실패한다. 비록 실패한 소수자-되기로 끝나기는 했지만, 「변신」은 가족의 유대나 사회적 관계가 견고한 것이 아니고 균열이 일어날 수 있는 것임을 설득력 있게 보여준다. 『모비 딕』은 에이헙의 모비 딕-되기와 모비 딕의 에이헙-되기라는 이중적인 탈영토화를 통해 동물-되기가 결연에 이르는 과정을 생생하게 재현하고 있다. 결국 에이헙과 모비 딕 모두 인간도 동물도 아닌 중간 지대, 즉 식별 불가능한 지대에 있게 된다. 이는 인간 중심적 사고를 넘어선 새로운 세계관을 드러낸다.

끝으로 「나의 노래」는 좀 더 적극적으로 소수자-되기가 어떻게 혁명적일 수 있는지 보여준다. 여기서 소수자 되기는 단지 권력의 중심으로부터의 탈주에 끝나지 않고 새로운 집합적 배치를 이룬다. 소수자는 다른 소수자와 연대할 뿐 아니라 자연까지 포괄하며 구체적으로 미국이라는 새로운 관계망을 지닌 사회를 형성한다. 휘트먼의 소수자-되기는 분자적인 존재의 탈주로 기존의 견고한 인식에 균열을 일으킬 뿐 아니라 나아가 집합적 배치를 통해 혁명적인 비전을 제시한다. 이 논문에서 사용된 들뢰즈의 개념인 모국어 내의 소수적 언어 사용, 동물-되기와 결연, 집합적 배치와 혁명적 비전은 카프카, 멜빌, 휘트먼의 분석에만 유효한 것이 아니라 다른 작가들에게도 적용되어 새로운 분석과 평가를 가능케 할 것이다.

■ 인용문헌

김승숙. 『少數의 詩學, 들뢰즈와 가타리의 리좀적 思惟樣式』. 파주: 한국학술정보, 2009.

로널드, 보그. 『들뢰즈와 가타리』. 이정우 역. 서울: 새길, 1995.

__________. 『들뢰즈와 문학』. 김승숙 역. 서울: 동문선, 2006.

신문수. 「고래 · 『모비딕』 · 생태주의적 비전」. 『문학과환경』 7.2 (2008): 23-52.

아르노, 빌라니 · 싸소 로베르. 『들뢰즈 개념어 사전』. 신지영 역. 서울: 갈무리, 2013.

이수경. 「들뢰즈와 가타리의 '동물-되기' 연구」. 『철학논총』 72 (2013): 409-41.

이정호. 「휘트먼의 근경적(根莖的) 글쓰기」. 『새한영어영문학회 학술발표회 논문집』 (2001): 55-82.

이진경. 「문학-기계와 횡단적 문학」. 『들뢰즈와 문학-기계』. 고미숙 외. 서울:소명, 2004. 15-49.

진은영. 「출구찾기 혹은 새로운 탈영토화」. 『들뢰즈와 문학-기계』. 고미숙 외. 서울: 소명, 2004. 367-400.

들뢰즈, 질. 『비평과 진단－문학, 삶 그리고 철학』. 김현수 역. 고양: 인간사랑, 2000.

________. 『카프카－소수적인 문학을 위하여』. 이진경 역. 서울: 동문선, 2004.

________ · 펠릭스 가타리. 『천 개의 고원: 자본주의와 분열증』. 김재인 역. 서울: 새물결, 2001.

________ · 클레르 파르네. 『디알로그』. 허희정 · 전승화 역. 서울: 동문선, 2005.

카프카, 프란츠. 『변신/시골의사』. 전영애 역. 서울: 민음사, 1998.

콜브룩, 클레어. 『질 들뢰즈』. 백민정 역. 서울: 태학사, 2004.

Bogue, Ronald. *Deleuze's Wake: Tributes and Tributaries*. Albany: State U of New York P, 2004.

___________. *Deleuze's Way: Essays in Transverse Ethics and Aesthetics*. Burlington, VT: Ashgate, 2007.

Evans, Fred. "Unnatural Participation, Merleau-Ponty, Deleuze, and Environmental Ethics." *Philosophy Today* 54 (2010): 142-52.

Golemba, Henry. "The Shape of "Moby-Dick"." *Studies in the Novel* 5 (1973): 197-210.

Hamilton, V. Carol. "The Evil of Banality, Moby Dick vs. the Extreme Machine." *Iowa Journal of*

Cultural Studies 4 (2004): 7-18.

Idema, Tom. "Toward a Minor Science Fiction: Literature, Science, and the Shock of the Biophysical." *Configurations* 23 (2015): 35-59.

Melville, Herman. *Billy Budd, Sailor and Other Stories*. New York: Penguin Books, 1980.

______________. *Moby-Dick*. Eds. Harrison Hayford and Hershel Parker. New York: Norton, 1967.

Parker-Starbuck, Jennifer. "Becoming-Animate: On the Performed Limits of "Human"." *Theatre Journal* 58 (2006): 649-68.

Whitman, Walter. *Leaves of Grass*. Eds. Sculley Bradley and Harold W. Blodgett. New York: Norton, 1973.

Ziarek, Eva. "Surface Stratified on Surface: A Reading of Ahab's Allegory." *Criticism, A Quarterly for Literature and the Arts* 31 (1989): 271-86.

8

실비아 플라스와 소수자-되기*

1. 들어가는 말

미국의 대표적인 현대 시인으로 자리매김한 플라스의 시는 사후 여러 각도에서 검토되었으며, 특히 전기적인 사실에 초점을 맞춘 연구가 많다. 플라스는 "당대 어느 작가보다도 전기적 사실이 꼼꼼하게 검토되었고"(Hammer 68), 특히 죽음의 원인에 대한 분석이나 죽음의 주제를 둘러싼 논의가 많다. 슐만은 자살에 이르게 된 심리를 분석하는 가운데 "어린 시절 상실이나 트라우마로 인해서 심리적으로 취약했으며 강박적으로 어머니에게 집착하고 칭찬을 받으려 했다. … 자살 경향은 늘 잠재적으로 존재"(Shulman 610-11)했다고 한다. 바레카Regina Barreca는 개인적인 심리분석을 넘어서서, 여성이라는 정체성과 죽음을 연결시킨 시인으로 평가

* 조애리 · 유정화

한다. 죽음이 여성에게 확실한 정체성을 부여한다는 것이다. "죽음은 무형이 될 두려움에 찬 존재에게 자아형성의 원칙으로 작용한다. 아무것에도 의존할 수 없다면, 적어도 죽음이 경계를 마련해준다"(Barreca 175).

그러나 이 글에서는 죽음을 주제로 한 기존 비평과는 달리 플라스 시의 핵심적인 주제를 소수자-되기로 보고 출발한다. 플라스 시에는 죽음으로만 해석될 수 없는 탈주의 욕망과 생에 대한 에너지가 있으며, 그러한 에너지는 들뢰즈적인 시각에서 분석할 때 가장 잘 이해될 수 있다. 실제로 국내에서 들뢰즈적 틀에서 분석한 것으로 유정화의 「들뢰즈로 읽는 실비아 플라스 시」와 백금희의 「실비아 플라스의 시, 탈주와 생성의 시학」이 있다. 유정화는 플라스 시에 나타난 탈주를 세 개의 선인 몰적 선, 분자적 선, 탈주선을 통해 플라스 시에 나타난 탈주를 꼼꼼하게 살피고 있다. 그러나 소수자-되기를 전면적으로 다루고 있지는 않다. 백금희의 논문에서 생성은 되기와 같은 개념이나, 실제 분석에서는 생성의 문제가 거의 다루어지지 않고 있다. 여기서는 들뢰즈의 소수자-되기, 다시 말해 동물-되기와 여성-되기의 관점에서 플라스의 시를 분석함으로써 그동안 부각되지 못한 플라스 시의 생을 향한 열망과 존재론적 깊이를 드러내고자 한다.

들뢰즈가 말하는 소수자-되기는 수목형 구조 속에서 소수자로 배치된 존재가 견고한 정체성에서 탈주하여 새로운 분자적 존재가 되고, 나아가 수목형 구조 자체를 붕괴시키는 것을 말한다. 들뢰즈는 백인 남성이 정점에 있는 피라미드식의 견고한 위계적 구조를 수목형 구조라고 한다. 수목형 구조는 위계적인 체계로서 의미생성과 주제화의 중심을 포함하고 있다. 이런 수목형 구조에서 각 항의 정체성은 상위 체계가 정해준 직무만을 수행하는 것이다. 수목형 구조를 좀 더 자세히 살펴보면 다수-소수/지배-피지배의 이항대립에 기반을 두고 있으며 그 정점에 중심점인 백인 남성이 있다. 들뢰즈와 가타리가 강조하는 것은 이항대립에 늘 중심점이 되는 항이 있다는 점이다. 남성이라는 중심점이 강력한 힘을 발휘하며 이 중심점과의 관계 아래서 여성, 동물, 아이 등이 규정된다"(조애리 · 김진옥 268).

들뢰즈의 되기는 단순한 변화나 변환을 뜻하지 않는다. 그것은 위계적인 질서인 수목형 구조가 정해준 배치에서 탈주하는 것, 즉 다수의 기준을 벗어나는 것이며 따라서 동물-되기나 여성-되기 등의 소수자-되기는 이항대립 속에 배치된 견고한 정체성을 지닌 소수자가 되는 것이 아니라 수목형 구조가 배치한 몰적 존재에서 탈주하여 새로운 존재, 즉 분자적 존재로 변화하는 것을 의미한다. 예를 들어, 몰적 존재로서의 여성은 "여성과 남성을 대립시키는 이원적 기계 속에서 포착되고, 형태에 의해 한정되고, 기관과 기능을 갖추고 있고, 주체로 규정된 여성이다"(들뢰즈 · 가타리 522). 이러한 몰적 존재와는 전혀 다른 여성과 동물이 되는 것이 여성-되기다. 이때 여성이나 동물은 "분자적 집합체이며 <이것임>이지, 우리가 우리들의 바깥에서 인식하며 경험이나 과학이나 습관 덕분에 재인식하는 몰적 형태, 대상 또는 주체들이 아니다"(들뢰즈 · 가타리 522).

여기서는 플라스 시의 핵심 주제를 들뢰즈와 가타리가 말하는 소수자-되기로 보고 그를 통해 플라스가 죽음이 아니라 생명을 향한 열망을 형상화했을 뿐 아니라 나아가 대안적인 질서를 제시한 것으로 평가하고자 한다. 이를 위해 우선 나무체계 속에서 견고한 정체성이 어떻게 배치되었고 그로 인한 억압이 어떻게 형상화되고 있는지 살펴보겠다. 이어서 이러한 수목형 구조의 몰적 존재에서 탈주하여 동물-되기라는 분자적 존재로의 형성을 살펴보려고 한다. 동물-되기에서는 인간/비인간의 우월/열등의 위계가 전복되고 오히려 동물이 보이는 에너지에 감응하는 것이 인간의 참된 존재적 위상임을 분석하겠다. 여성-되기에서는 남성/여성의 이항대립에 대해 플라스가 저항하고 분노할 뿐 아니라 새로운 에너지와 속도를 지닌 분자적 존재로서의 여성을 어떻게 생생하게 형상화하고 있는지 검토하겠다. 끝으로 플라스가 위계적인 나무체계에서 탈주하는 데 머물지 않고 나아가 리좀이라는 대안적 질서를 제시한 것으로 평가하고자 한다.

2. 수목형 구조와 견고한 정체성

수목형 구조에서는 남성이라는 중심점이 위계질서의 정점에 있다. 수목형 구조는 구조 자체가 견고할 뿐 아니라 각 항의 정체성 역시 견고하다. 「튤립」에서는 이러한 정체성이 열등한 소수로 규정된 사람들에게 얼마나 억압적인지가 잘 나타난다. 여기서 열등한 소수인 화자는 자신의 배치에 순응하고 평화를 얻었다고 스스로를 위로하지만 그 이면은 존재 자체가 말살된 상태이다.

튤립은 너무 흥분을 잘한다. 이곳은 겨울이다.
보라, 모든 것이 아주 하얗고, 아주 조용하고, 눈 속에 갇힌 것을,
햇살이 하얀 벽과 이 침대와 손에 내리쬘 때
나는 조용히 혼자 누워, 평화로움을 배우고 있다.
나는 보잘것없는 사람이다. 갑작스럽게 감정을 분출하지 않는다.
물은 내 머리 위에 뒤덮였다.
나는 이제 수녀다, 이렇게 순결했던 적은 없었다.

The tulips are too excitable, it is winter here.

Look how white everything is, how quiet, how snowed-in
I am learning peacefulness, lying by myself quietly
As the light lies on these white walls, this bed, these hands.
I am nobody; I have nothing to do with explosions.
I have given my name and my day-clothes up to the nurses
And my history to the anaesthetist and my body to surgeons.
I am a nun now, I have never been so pure. (160-61)[11]

"조용히 누워서 평화를 배운다"라고 하지만 사실은 이름과 일상복은 간호원에게, 나의 역사는 마취사에게, 나의 몸은 외과의사에게 줘버린 "보잘것없는 사람이다." 그녀의 평화는 수목 체계 내에서 열등한 존재임을 인정한 후에야 가능한 것이다. 그녀는 위계적인 질서가 하위 존재에게 요구하는 자질을 철저하게 내면화한 상태다. "나는 이제 수녀다 / 이렇게 순결했던 적은 없다." 순결은 남성지배질서에서 여성에게 할당된 자질이고 수녀인 상태는 그 질서가 강요하는 순결을 극단적으로 밀고 나간 것이다.

튤립의 견고한 구조가 개체에게 가하는 억압은 튤립과 나의 교감으로 재현된다.

튤립의 빨간색은 내 상처에 말을 건네고, 그것은 교감한다.
그들은 예민하고, 떠 있는 것처럼 보인다, 실은 날 내리누르지만.
느닷없이 내미는 혀와 색깔로 내 마음을 어지럽히며,
빨간 납으로 만든 봉돌 열두 개가 내 목에 둘려진다.

---

11) Plath, Sylvia. *Collected Poems*. London, Faber and Faber, 1981. 시 인용은 박주영의 『실비아 플라스 시 전집』 번역을 참조했다. 저자의 필요에 따라 약간 수정을 가한 부분도 있다.

The tulips are too red in the first place, they hurt me.
Even though the gift paper I could hear them breathe
Lightly, through their white swaddlings, like an awful baby.
Their redness talks to my wound, it corresponds.
They are subtle, they seem to float, though they weigh me down,
Upsetting me with their sudden tongues and their color,
A dozen red lead sinkers round my neck. (161)

튤립의 강렬한 색상은 "생명의 부름"(윤준 10)이라고 볼 수 있다. 그 생명의 색채는 견고한 정체성에 순응할 때 화자가 느끼는 압력을 일깨우기도 한다. "내 마음을 어지럽히며"라는 내면적인 혼란을 겪는 동시에 화자는 자신이 "봉돌 열두 개"를 목에 두른 옴짝달싹할 수 없는 위치임을 깨닫는다.

나아가 이제 튤립은 화자가 숨조차 쉴 수 없게 만든다. "보잘것없는 사람", "수녀"로 평화롭게 시작했지만, 이제 더 이상 평화는 있을 수 없고 화자는 그 평화의 이면이 죽음임을 날카롭게 꿰뚫어본다.

나는 얼굴도 없다, 나 자신을 지워버리고 싶다.
생명감 넘치는 튤립이 내 산소를 마신다.

And I have no face, I have wanted to efface myself.
The vivid tulips eat my oxygen. (161)

튤립이 "나의 산소를 마셔버리는" 상태에서 화자의 존재는 완전히 말살된다. "나의 산소"까지 마셔버리는 튤립과 대조적으로 내게는 전혀 생명이 없다. 위계적 구조 속에 배치된 개체는 단순히 위상을 제한받거나 구속당하는 정도가 아니라 그 배치에 대한 순응이 곧 생명의 박탈을 의미하게 된다.

「아빠」는 수목형 구조의 억압성을 보여주며 동시에 그에 대한 분노를 보여준다. 「거울」이 구조의 견고함을, 「튤립」이 존재 자체를 말살하는 억압적인 힘을 보여준다면, 「아빠」에서는 견고한 위계질서의 억압을 드러내는 점에서는 튤립과 같지만 동시에 이에 대한 분노를 표출한다는 점에서 「튤립」에서와는 달리 견고한 정체성에 근본적인 의문을 제기한다.

> 당신은 아니에요, 당신은 아니에요
> 이제는, 검정 구두가 아닙니다.
> 나는 그 안에서 가엾고 흰 발처럼
> 살았답니다, 삼십 년 동안을
> 감히 숨도 제대로 못 쉬고 재채기도 못하면서.

> You do not do, you do not do
> Any more, black shoe
> In which I have lived like a foot
> For thirty years, poor and white,
> Barely daring to breathe or Achoo. (222)

이 시는 남성이 정점에 있는 수목형 구조를 극단적으로 보여준다. 아버지가 정점에 있고 여성이고 아이인 화자는 약자로 가장 하위에 배치되어 있으며 그러한 배치가 강요하는 정체성을 받아들여야 한다. 가장 낮은 신발 속에 있는 가엾고 흰 발로 자신을 표현하며, "감히 숨도 제대로 못 쉬고 재채기도 못 한다"는 것은 견고한 정체성이 화자에게 가하는 억압이 거의 생명을 앗아가는 것임을 잘 보여준다. 아버지는 "죽어서조차 딸의 삶을 지배"(Lowell 37)하고 딸은 내면화한 정체성으로 인해 존재 자체가 신발 속의 발로 갇혀 있다. 하지만 "이 시의 주제는 그녀가 받는 억압이 아니라 그에 저항해서 승리하는 것, 자신의 뮤즈를 거부하고 자신의 목소리를 발견하는 것"(Reitz 425)이며 동시에 "'구두'의 내면적인 구도를 붕괴시키고 그 내용을 드러내려고 한다"(Narbeshuber 189). 나아가 유정화의 지적대로 "이런 인식과 평행하게 아버지의 존재를 강하게 거부하는 화자의 또 다른 의식이 첫 행에서 반복되는 부정부사 "아니에요not"를 통해 전달된다"(유정화 164). 시가 "아니에요"로 시작되는 것은 억압적 질서 속에서 약자로서 소수자라는 견고한 정체성을 받아들이는 것이 아니라 저항 역시 준비하고 있음을 보여준다. 이러한 플라스의 저항은 수목형 구조에서 탈주하여 동물-되기와 여성-되기로 나타난다.

3. 동물-되기

플라스가 자연을 대하는 태도에 대해서 비평가들은 그녀의 무관심을 지적하거나 그녀가 자신의 심리를 투사하는 것으로 보았다. 벤들러Helen Vendler는 플라스가 자연이 "자신만의 지위"가 있는 것을 부인한다고 했다. 커시Adam Kirsch는 플라스가 자신의 이미지로 세계를 창조할 뿐이라고 지적했으며, 길포드Terry Gilfford는 플라스가 내면적인 삶을 표현하기 위해서 자연을 이용한다고 비판한다. 이들보다 플라스와 자연의 친연성을 강조한 비평가로는 스콧Scott이 있다. 스콧에 따르면 플라스는 오히려 자연 속에서 발견한 야생과 활기를 표현하려고 했으며, 나아가 인간이 아닌 자연에 생물학적 유대감을 느끼고 다양한 동물들에게 아주 강하게 감정이입을 한 것으로 평가한다(Scott 4-8). 그러나 스콧이 지적하는 유대감이나 감정이입에서는 여전히 자연이 대상이고 인간은 주체이다. 그러나 플라스는 단순한 감정이입이 아니라 자신의 존재를 동물에 감응하여 새로운 존재가 되는 동물-되기를 시도한다.

동물-되기를 둘러싼 가장 빈번한 오해는 동물의 몸짓이나 모양을 모방하는 것으로 착각하는 것인데, 동물-되기는 흉내 내기가 아니라 동물의 신체에 감응하는 존재로 자신을 변화시키는 것이다. 플라스 시의 화자들은 분자적인 자유로운 에너지를 지닌 동물이 되기를 다양하게 시도하고 때로는 좌절하지만, 결국 동물의 속도와 힘을 지닌 분자적 존재가 된다.

플라스의 동물-되기 탐색은 비참하게 죽은 두더지를 보고 단순한 희생자로 동정하는 것이 아니라 그 두더지를 새로운 힘을 지닌 존재로 부활시키는 「파란 두더지들」로 시작된다.

그것들은 암흑의 넝마 자루 밖에 나와 있다.
이 죽은 두더지 두 마리는 몇 미터 떨어져
내던져진 장갑처럼 보기 흉하게, 자갈투성이 바퀴 자국 안에 있다.
개나 여우가 물어뜯어 놓은 푸른색 스웨이드
느릅나무 뿌리 밑 자신의 행동 반경에서
어떤 큰 동물에게 파헤쳐진 조그만 희생자.
혼자 있는 한 마리는 몹시 측은해 보였다.
두 번째 시체는 사건을 결투로 보이게 한다.
사악한 자연에 물어뜯긴 눈먼 쌍둥이.

They're out of the dark's ragbag, these two
Moles dead in the pebbled rut,
Shapeless as flung gloves, a few feet apart—
Blue suede a dog or fox has chewed.
One, by himself, seemed pitiable enough,
Little victim unearthed by some large creature
From his orbit under the elm root.
The second carcass makes a duel of the affair,
Blind twins bitten by bad nature. (126)

처음 등장하는 두더지 중 한 마리는 동물의 위계 속에서도 가장 아래 있는 희생자로 표현되어 있다. 개나 여우가 물어뜯었는지, 아니면 어떤 큰 동물이 죽였는지는 모르지만 두더지는 개나 여우나 큰 동물에 비해 몸집도 작고 생명을 위협당하는 "조그만 희생자"다. 결투에서 패배해 죽은 것으로 묘사된 또 한 마리 역시 "사악한 자연"의 희생자로 제시되어 있다. 플라스는 죽은 두더지에 대한 구체적인 생생한 묘사와 아울러 "희생자", "어떤 큰 동물", "사악한 자연"과 두더지를 연결시킴으로써 위계질서 속에서 약한 소수자로서의 두더지를 부각시킨다.

플라스는 이 희생자인 두더지를 단순히 동정을 받아야 할 대상으로만 보지는 않는다. 수목형 구조에서는 인간보다 열등한 존재로 동물이 있고 동물의 수준에서는 그 사이에도 위계가 존재하며 두더지는 그 위계질서의 가장 아래쪽에 자리잡고 있는 소수자로 배치되어 있다. 대상이 되는 순간 이미 열등한 존재가 되는 데 비해, 플라스의 독특한 힘은 인간/동물이라는 경계를 해체하고 스스로 두더지-되기를 시도하는 데 있다.

밤마다 전쟁의 고함 소리가
퇴역 군인의 귓가에 갑자기 울려 퍼진다. 또다시
나는 두더지의 부드러운 가죽 속으로 들어간다.

Nightly the battle-snouts start up
In the ear of the veteran, and again
I enter the soft pelt of the mole. (126)

두더지에게 사악한 자연에 해당하는 것이 플라스에게는 "전쟁의 고함 소리"이다. 그녀는 권력의 지배에서 탈주하는 방법으로 권력을 차지하기 위한 수목형 구조에서 상위로 상승하는 것이 아니라, 오히려 가장 약한 소수자인 두더지-되기를 시도한다. "전쟁의 고함 소리"로 상징되는 권력 구도에서 그녀는 더 큰 동물에게 물어뜯기고 약육강식의 세계에서 희생되는 두더지와 마찬가지로 열등한 소수자이다. 그런 그녀가 "두더지의 부드러운 가죽 속으로" 들어가는 순간 열등한 소수자가 되는 탈주가 시작된다. 그녀는 "희생자"인 두더지가 되는 것이 아니라 "부드러운 가죽"을 지닌 두더지가 된다. "부드러운"이라는 표현 속에서 물어뜯긴 결투에서 패배한 희생자로서의 두더지는 사라진다.

이어 그녀는 두더지의 힘과 속도에 감응하는 몸을 보여준다.

대단히 큰 손들이 길을 닦고,
그들은 앞서서 간다. 암맥을 열고,
딱정벌레의 췌장과 겉날개의 부속기관들을 찾아서
몇 번이고 잡아먹히며,
깊게 파 들어간다.

마지막 포만감의 하늘은 출입구에서 여전히 멀기만 하다.

They go before, opening the veins,
Delving for the appendages
Of beetles, sweetbreads, shards—to be eaten
Over and over. And still the heaven
Of final surfeit is just as far
From the door as ever. (126-27)

두더지는 더 이상 "희생자"인 소수자가 아니고, 견고한 정체성에서 완전히 탈주해 있다. 두더지는 "큰 손"을 지니고 이미 닦여 있는 홈 패인 길을 따라 가는 것이 아니라 "암맥을 열고" 새로운 유목적 공간을 창조하며 "깊이 파들어 가는" 활력을 보인다. 이것은 두더지만의 힘과 속도이며 화자는 이 속도와 힘에 감응하는 몸이 된 것이다. 비록 "하늘이 … 여전히 멀다"고는 하지만 이것은 희생자일 수밖에 없다는 좌절감으로 볼 수는 없다. 그렇다고 해서 화자가 두더지-되기에 완전히 성공했다고 볼 수는 없다. 마지막 줄에서 플라스는 두더지-되기에 대한 망설임을 내보이고 있다.

동물-되기의 힘과 그에 대한 망설임 모두를 보여준 「파란 두더지들」에 비해 「베일」에서는 망설임을 모두 버리고 동물-되기, 즉 암사자-되기에 성공한다. 시가 시작될 때는 남성 지배/여성 종속이라는 가부장적 질서와 이에 극단적으로 순응한 정체성을 보여준다.

신랑은 이러한 상황에 도착한다
거울의 군주!
그가 인도하는 것은 그 자신

이런 실크 칸막이 사이에서,
이런 옷 스치는 소리가 바삭거리는 소모품 사이에서.
나는 숨을 쉰다.

At this facet the bridegroom arrives
Lord of the mirrors!
It is himself he guides

In among these silk
Screens, these rustling appurtenances.
I breathe, and the mouth. (243)

그녀는 남성에게 종속되어 있을 뿐 아니라 자신을 열등한 인간, 나아가 인간보다 더 열등한 사물로 느낀다. "소모품 사이에서. / 나는 숨을 쉰다." 에서 그녀는 소모품과 구분되지 않는다. 화자는 "나는 그의 것. / 그가 없을 때조차도,"라고 하는데 이는 단순히 여성의 종속적인 위치 정도가 아니고 완벽하게 그의 소유물인 물건으로 정체성이 굳어져 있음을 뜻한다.

그러나 그녀는 갑자기 견고한 정체성을 깨고 탈주를 시작하며, 그 탈주는 암사자-되기라는 종착점에 이른다.

나는 풀어헤치리라—
그가 마음처럼 지키고 있는
작은 보석 박힌 인형으로부터

암사자,
목욕탕에서의 외침소리,

마구 구멍 뚫린 외투.[12)]

I shall unloose—
From the small jeweled
Doll he guards like a heart

The lioness,
The shriek in the bath,
The cloak of holes. (243-44)

박주영은 화자의 극단적인 변화 자체에 초점을 맞춘다. 순응적인 인형이던 화자가 이제는 "암사자"가 되고 침묵의 존재에서 "비명"을 지르며, 얼굴을 가리던 베일은 "마구 구멍 뚫린 외투"로 대체되는 것(Park 278)에 주목하며 그것을 저항으로 해석한다. 이정원은 페미니스트적 관점에서 "베일"의 화자인 "남자의 노리개, 성적 노예로서 할렘의 후궁처럼 겹겹의 베일에 싸여있고 오직 한 사람의 남자에게 소유되어 있던" 여인은 반항과 탈출을 시도하며, 자신 안에 잠자고 있던 암사자로 일어선다고 지적한다(이정원 6-7). 이처럼 비평가들은 순응에서 저항으로의 극단적인 변화가 암사자라는 형태로 나타나는 것을 지적하는 데 그친다. 그러나 이를 들뢰즈와 가타리의 동물-되기라는 시각에서 보면 암사자-되기의 의미를 더 심층적으로 해석할 수 있다. 이때 변화는 순식간에 이루어지지만 절대적이다. 그녀는 갑자기 암사자가 되지만 파란 두더지에서의 망설임을 전혀 보

12) 마지막 두 연은 목욕탕에서 살해된 두 남자, 즉 샤로트에 의해 살해된 자코뱅 당의 지도자 마라와 크리템네스트라에 의해 살해당한 그리스 영웅 아가멤논의 죽음을 암시하고 있다(한은원 495).

이지 않고 이전의 정체성을 완전히 떠나는 탈주선을 보여준다. “탈주선은 몰적 선과 분자적 선을 파열시키고 영토와 절편으로부터 떠나 탈영토화를 이루는 선이다. 탈주선이란 유연한 양자적 흐름에 멈추는 것이 아니라 섬광처럼 빛을 발하며 모든 경계선을 파열시키고 모든 절편과 단절하며 단호하게 영토를 떠난다”(유정화 155). “풀어헤치리라”를 신호탄으로 암사자-되기는 섬광처럼 이루어지며 단호하게 영토를 떠난다. 그녀는 이제 완전히 새로운 존재가 되는 것이다. “마구 구멍 뚫린 외투” 분노하는 암사자의 힘을 지니게 되었음을 보여준다. 이제 더 이상 “소모품”이나 “보석 박힌 인형”이 아니고 암사자의 에너지를 지닌 새로운 분자적 존재가 된 것이다. 암사자는 단지 저항을 뜻하는 은유가 아니고 그녀의 존재론적인 변화를 뜻한다.

분노하는 동물에서 에너지에 가득 찬 동물-되기는 「에어리얼」(“Ariel”)에서 완성된다. 여기서 우리는 완전히 탈주하여 힘차게 달리는 말-되기를 이룬 화자를 만난다.

> 암흑 속에서의 정지
> 그때 바위산과 노정의
> 실체 없는 파란 유출.
>
> 신의 암사자
> 뒷발굽과 무릎의 회전축!
> 이렇게 우리는 하나가 된다.
>
> Stasis in darkness.
> Then the substanceless blue

Pour of tor and distances.

God's lioness,
How one we grow,
Pivot of heels and knees! — The furrow. (239)

박령은 "화자가 말을 달리자 '무형의 푸름'이 쏟아지면서 화자는 '신의 암사자'인 에어리얼과 하나가 된다"(박령 91)고 한다. 이때 하나가 된 것의 의미를 좀 더 자세히 살펴보면 화자는 말의 속도와 리듬을 갖게 되고 말에 감응한 상태가 되었음을, 새로운 존재가 되었음을 알 수 있다. 유정화의 지적대로 "에어리얼을 타고 달리며 화자는 더 이상 하나의 인물이거나 주체가 아니라 강렬하고 생생한 감각의 꾸러미, 감각의 군집이 된다"(유정화 167). 이때 말-되기는 인간/동물이라는 이항대립 속에서 말이라는 열등한 배치 속으로 들어가는 것이 아니라 에너지에 찬 분자적 존재인 "신의 암사자"가 된 것이다.

4. 여성-되기

여성 시인으로서 플라스에 대해서는 다양한 각도에서 분석되었으며, 특히 페미니스트 비평가들은 가부장제의 억압성과 그에 대한 저항을 지적하고 있다. 박령은 여성시인으로서 플라스의 성장을 추적하고 있다. 박주영은 좀 더 구체적으로 가부장적 질서에 대한 우울증적 분노에 초점을 맞추어 플라스를 분석하고 있다. 브레인Tracy Brain은 플라스를 단순히 희생자나 분노에 찬 여성으로 보는 것은 그녀의 작품을 과소평가하는 것이라고 말하며 그녀의 저항에 초점을 맞추고 있다. 브리츠라키스Christina Britzolakis는 문화적인 시각에서 접근하여 플라스의 시가 여성의 문화적 대상화라는 현상에 대응하여 아이러니컬하게 자신을 분석한 것으로 보고 있다. 페미니스트 비평이 플라스의 시에 나타난 여성의 특수성을 그 어떤 비평보다 섬세하고 심층적으로 분석한 것은 사실이다. 그러나 플라스의 시에는 분노나 저항으로만은 완전히 이해되지 않는 측면이 있다. 그녀는 경험적 여성의 위상을 넘어선 유동적인 에너지의 흐름인 여성이 되고자 하며 이런 시도는 들뢰즈의 여성-되기 관점에서 읽을 때 더 명확하게 해석될 수 있다.

여성이 여성-되기를 하는 것은 이상하게 들릴 수 있다. 전자의 여성은 수목형 구조 내에 배치된 견고한 정체성을 지닌 여성이며 "몰적 여성 역시 여성-되기를 하여야 한다"(들뢰즈 · 가타리 523). 여성-되기는 기존의 가부장적 구조 속에 배치된 몰적 여성이 배치에서 탈주하여 분자적 여성이 되는 것을 뜻한다. 여성-되기란 우리가 아는 경험적인 차원의 여성, 즉 이항대립 속에 배치된 몰적인 여성이 아니라 분자적 여성, 즉 <이것임>의 상태가 되는 것이다. 즉, "미시-여성성의 근방역으로 들어가는 입자들을 방출하는 것, 말하자면 우리 자신 안에서 분자적인 여성을 생산하고 창조하는 것이다"(들뢰즈 · 가타리 523).

여성-되기의 중요성에 대해 들뢰즈와 가타리는 "모든 되기의 핵심"으로 "모든 되기는 여성-되기를 통해 시작되며 여성-되기를 지나간다고 말해야 할 것이다"(들뢰즈 · 가타리 526)라고 할 정도로 여성-되기가 모든 되기의 중심에 있다고 생각한다. 그 이유는 "다수성은 남성의 권리나 권력을 이미 주어진 것으로 전제한다. 바로 이런 의미에서 여성, 아이, 그리고 동물, 식물, 분자는 소수자다. 아마도 남성-기준과 관련한 여성의 특별한 위치가 소수자 그 자체인 모든 되기가 여성-되기를 통과하도록 만드는 것 같다"(들뢰즈 · 가타리 551). 다시 말해 바로 권력의 중심에 남성이 있기 때문이다. 다수에서 가장 중요한 것은 "남성이 중심점이며 여성-되기는 그러한 중심점에서 탈주하는 대표적인 운동인 것이다"(조애리 · 김진옥 248).

위에서 살펴본 대로 플라스는 남성이 정점에 있는 수목형 구조와 그 억압성을 예민하게 인지하고 있다. 「아빠」의 화자는 아빠를 살해함으로써 기존의 영토로부터 탈주하기 시작한다.

> 내가 한 사람을 죽였다면, 나는 둘을 죽였어요
> 자기가 아빠라고 말한 그 흡혈귀
>
> If I've killed one man, I've killed two—.
> The vampire who said he was you (224)
>
> 아빠, 아빠, 이 개자식아, 난 끝났어.
>
> Daddy, daddy, you bastard, I'm through. (224)

라이츠John Reitz는 "그녀의 분노에도 불구하고 양가적이다. 완성이라기보다는 부모의 영향을 피하려는 시도"(Reitz 428)이며 궁극적으로 "보수적이고 여전히 억압자의 그늘에 있는 정신"이라고 양면성을 지적한다. 그러나 플라스는 가부장제를 전면적으로 부인하며 아빠를 "개자식"이라고 호명함으로써 백인 남성이 정점에 있는 수목형 구조를 부인한다. 아빠는 저항이며 동시에 자신의 정체성을 완전히 파괴하는 것으로 시작되는데, 이 파괴 속에서 탈주가 시작된다. 그러나 아직 여성-되기가 시작되지는 않았다.

「에어리얼」에서는 동물-되기가 여성-되기로 발전하며, 본격적인 여성-되기가 시작된다. 화자는 자신을 이제 에어리얼이 아니라 고디바와 일치시킴으로써 여성-되기의 첫발을 내딛는다.

> 백색의
> 고디바, 나는 옷을 벗는다—
> 죽은 손들을, 죽은 절박함들을.
>
> 이제 나는
> 밀의 거품, 바다의 광채.
>
> White
> Godiva, I unpeel—
> Dead hands, dead stringencies.
>
> And now I
> Foam to wheat, a glitter of seas. (239)

고디버는 11세기 영국의 어느 영주 부인인데, 대낮에 알몸으로 말을 타고 거리를 달리면 주민들의 세금을 면해주겠다는 남편의 제의를 받아들이고 실제로 알몸으로 말을 탄다. 모든 주민들이 집안에서 창을 닫는 조건이었는데 이를 어기고 그녀를 본 사람은 장님이 되었다고 전해진다(박령 92). 이때 고디버는 여성-되기에 성공했다고는 볼 수 없다. 그녀는 몰적 존재로서의 여성에게 과해진 이미지 중 약자를 돕는 모습을 보이지만 아직은 분자적인 여성이 되었다고 볼 수 없다. 그녀는 한편으로 남성이 권력의 정점에 있는 구조에서 약자를 위해 알몸으로 달림으로써 남편의 횡포에 저항하지만, 여전히 남성의 시선 대상이라는 기존의 몰적 여성의 한계 속에 있다.

「에어리얼」의 주인공은 이러한 고디바의 한계를 뛰어넘는 여성-되기를 시도한다. 화살의 이미지 속에서 화자는 견고한 정체성을 넘어서서 탈주한 분자적인 여성이 된다. 이때 분자적 여성을 구성하는 에너지나 유동성은 화살과 이슬로 표현된다.

그러면 나는
화살이고

이슬이다
욕동이 되어 자살하듯 날아가는,
그 새빨간

눈, 아침의 큰 가마솥 안으로.

And I
Am the arrow

The dew that flies
Suicidal, at one with the drive
Into the red

Eye, the cauldron of morning. (239-40)

많은 비평가들이 화살보다는 이슬에, 특히 이슬이 사라지는 것에 주목해 왔다. 한은원은 태양 속으로 날아가는 이슬을 "자기파괴적으로 죽음을 동경하는"(한은원 488-89) 것으로 본다. 그러나 여기서 우리가 주목할 것은 화살이 지닌 에너지와 방향성, 그리고 이슬이 고체와 기체를 넘나드는 유동성을 지닌 점이다. 들뢰즈와 가타리적 관점의 여성-되기로 분석하지는 않았지만, 앤더슨Victoria Anderson은 화자가 에너지라는 상태가 되는 점에 주목한다. "몸이 없는 상태가 된다. 그러나 죽음이 아니고 순수한 에너지의 상태가 된다"(Anderson 92). 화자는 화살에서는 탈주하는 강렬한 에너지 자체가 된다. 유정화의 지적대로 "태양을 향해 하나의 선이 되어 날아가는 것은 견고한 영토를 완전히 떠나 자신의 육체를 벗어버리고 자아를 해체시키는 에너지의 폭발이며 섬광과 같은 탈주다"(168). "자살하듯이" 태양을 향한 이슬은 사라지는 죽음을 뜻하는 것이 아니라 견고한 정체성을 넘어서서 분자적 여성이 되는 데 성공했음을 뜻한다.

「103도 열」은 여성-되기의 완성을 보여준다. 이 시는 여성의 잠재성이 발화되어 여성-되기에 이르는 과정을 생생하게 보여준다. "'되기'는 과잉, 타자, 외재성을 향해 움직이는 탈주선을 뜻한다. 들뢰즈와 가타리의 세계는 정지 상태에 있는 것이 아니다. 그러므로 여성은 목표나 용어가 아니라 하나의 잠재성, 하나의 유발성이다"(Flieger 47). 잠재성의 발화는 순결 자체에 대한 문제 제기로 시작한다.

순결하다고? 무슨 의미지?

Pure? What does it mean? (231)

순결은 위계적인 남/여 대립의 견고한 절편 속에서 여성임을 정의하는 가장 중요한 자질이다. 이때 여성은 순결하기를 강요당하며 순결의 기준을 충족시키지 못한 여성은 창녀로 분류된다. 이미 살펴보았듯이 「튤립」에서는 "나는 이제 수녀다 / 이렇게 순결한 적이 없었다"라며 남성의 기준에 극단적으로 순응했으나, 이제 그녀는 순결이 자신을 제한하고 옥죄는 것임을 인지한다.

> 지워지지 않는 냄새!
> 사랑하는 연인이여, 사랑하는 연인이여, 낮은 연기가
> 이사도라의 스카프처럼 나를 휘감는다, 나는 겁에 질렸다.
> 스카프 한 장이 바퀴를 붙잡고 매달릴 것이다.
> 이렇게 누렇고 음침한 연기는
> 자신만의 고유한 원소를 만든다. 연기는 날아오르지 않을 것이다,
>
> The indelible smell
> Of a snuffed candle!
> Love, love, the low smokes roll
> From me like Isadora's scarves, I'm in a fright
> One scarf will catch and anchor in the wheel,
> Such yellow sullen smokes
> Make their own element. They will not rise, (231)

화자는 여전히 연기에 갇힌 상태이다. 남성/여성의 이항대립에서 여성으로 배치되어 있고 연기는 은유적으로 견고한 정체성을 벗어나지 못하는 것을 상징한다. 연기가 하늘로 올라가기는 하지만 이사도라의 스카프처럼

견고한 정체성에 화자를 매어 두고 죽음에 이르게 한다.

그러나 플라스는 이러한 배치를 견딜 수 없다. 그녀는 "여성으로 태어난 것이 끔찍한 비극"이라고 하면서 그 견고한 정체성은 "활동"뿐 아니라 "사상과 감정"을 제한당하며 늘 "공격과 학대를 당할 위험"에 있는 여성임에 주목한다. 그러나 "사랑하는 이여, 밤새도록 / 나는 깜박거리며 있다, 꺼졌다, 켜졌다, 꺼졌다, 켜졌다"(I have been flickering off, on, off, on.)에서 엿보이는 균열은 정체성이 더 이상 견고하지 않음을 보여주는 징표이다. "나는 초롱불"(I am a lantern)이라고 하는데, 이것은 깜박거리는 균열된 정체성을 보여주며 약함이 곧 사라질 것임을 상징하는 것이 아니라 새로운 존재로 되기 위한 탈주가 시작되었음을 보여준다. 따라서 좌절이나 두려움이 아니라 긍정적인 함의를 가지고 있다. 마침내 그녀는 완벽한 탈주에 이른다. "아세틸렌 가스"는 견고한 정체성에 자아를 묶어두고 마침내 죽음에 이르게 하는 "연기"와는 전혀 다른 것이다. 그녀는 "승천"한다.

나는 위로 날아오른다,
나는 승천하는지도 모른다.
뜨거운 금속 땀방울이 날아간다. 그리고 나는, 사랑하는 이여, 나는

장미와
입맞춤과 아기 천사들,
이러한 분홍색이 의미하는 모든 것들에 둘러싸인

순수한 아세틸렌 가스의
숫처녀다.

I think I may rise—
The beads of hot metal fly, and I, love, I

Am a pure acetylene Virgin
Attended by roses,

By kisses, by cherubim,
By whatever these pink things mean. Not you, nor him

Not him, nor him (My selves dissolving, old whore petticoats)—To
Paradise. (232)

이미선은 승화가 "현실 세계에서 상처받은 '순수한' 존재의 죽음과 변형을 의미한다"(이미선 74)고 해석한다. 하지만 이때의 변화는 죽음이 아니고 견고한 정체성이 해체된 다음 아세틸렌 처녀라는 새로운 존재로 탄생한 것을 뜻한다. 이때 견고한 정체성은 늙은 창녀의 페티코트에 비유된 반면, 처녀는 "장미", "키스", "아기천사"의 축복을 받는 상태이다. 여기서 장미나 키스는 순결하지 않은 것으로 비난받지 않고, 오히려 기존의 순결한 처녀/창부의 이분법을 완전히 전복시키는 것이다. 이때 "아세틸렌 가스의 처녀"는 들뢰즈가 여성-되기의 전형으로 생각하는 소녀-되기를 보여준다. 소녀가 탈주선인 이유에 대해 들뢰즈와 가타리는 이렇게 말한다. "소녀는 추상적인 선 또는 탈주선이다. 또 소녀들은 특정한 연령, 성, 질서, 권역에 속하지 않는다. 오히려 소녀들은 질서들, 행위들, 연령들, 성들 사이에서 미끄러진다. 또 소녀들은 막 관통해서 가로질러 온 이원적 기계들과 관련해서 도주선 위에 n개의 분자적인 성을 생산한다"(들뢰즈 · 가타리 524-25). 화자가 "순결한 아세틸렌가스의 처녀"로 되는 순간 남성/여성, 어른/아이의 사이존재가 되며 여성-되기가 완성된다. 이 처녀의 순결은 기존의 순결의 의미가 아니다. 처음 순결의 의미가 완전히 전복되어 열정을 가지고 있지만 순결한 처녀다. 그녀에게는 더 이상 순결한 수녀와 창녀의 이분법이 문제가 되지 않고 "아세틸렌 가스"와 같이 자유로운 분자적 여성이 된다. 소녀로의 역행involution은 결코 퇴행이 아니고 여성의 잠재성이 완전히 발현된 여성-되기의 전형을 보여준다.

5. 나가는 말: 리좀적 상상력

수목형 구조 속의 견고한 정체성에서 어떻게 동물-되기와 여성-되기에 이르는지 살펴보았다. 「튤립」은 견고한 체제의 억압적인 힘이 어떻게 생명 자체를 말살하는지 생생하게 보여준다. 「아빠」에서는 좀 더 구체적으로 수목형 구조 속에 소수자의 배치와 그 억압성을 보여주면서 동시에 그 이전의 시와는 달리 그 구조에 대한 전면적인 부정을 보여준다.

이어 플라스는 분노와 저항에 그치지 않고 새로운 되기를 보여준다. 그것은 소수자-되기, 즉 동물-되기와 여성-되기를 통해서 이루어진다. 플라스의 동물-되기 탐색은 「파란 두더지들」로 시작된다. 시선의 대상으로서 죽은 두더지를 응시하던 화자는 푸른 두더지가 될 뿐 아니라 두더지의 새로운 힘을 보여준다. 극단적으로 견고한 정체성을 보여주던 「베일」의 여주인공은 견고한 정체성을 깨고 탈주를 시작하며, 그 탈주는 암사자-되기에 이른다. 기존의 비평가들이 순응에서 저항이라는 변화만 지적했다면, 여기서는 들뢰즈적 관점에서 이를 이전의 정체성을 완전히 떠나는 탈주선으로 해석했다. 그것은 순간적으로 절대적인 새로운 존재로 변화하는 것이다. 동물의 힘과 속도에 완벽하게 감응하는 동물-되기는 「에어리얼」에서 완성된다. 여기서 우리는 힘차게 달리는 말-되기에 성공한, 에너지에 찬 분자적 존재로서 "신의 암사자"가 된 화자를 만난다.

들뢰즈에게 있어 여성-되기는 "모든 되기의 핵심"으로 "모든 되기는 여성-되기를 통해 시작되며, 여성-되기를 지나간다고 말해야 할 것"(들뢰즈 · 가타리 526)이라고 할 정도다. 「에어리얼」은 동물-되기에서 여성-되기로의 발전을 보여준다. "자살하듯이" 태양을 향한 이슬이 사라지는 것에 대해 기존의 비평가들은 죽음을 향하는 것으로 해석해 왔으나, 들뢰즈의 관점에서 볼 때 분자적 여성으로 존재 자체가 유동적 에너지로 변화하는 것으로 해석할 수 있다. 마침내 화자가 "아세틸렌 가스처럼 순결한 처녀"가 되는데 이는 들뢰즈가 말하는 소녀-되기를 보여준다. 이 처녀의 순결은 처음에 의문을 제기한 "순결"의 의미를 완전히 전복시켜 열정을 가지고 있지만 순결한 존재가 된 것을 의미한다. 소녀-되기에 이른 화자는 기체처럼 자유로운 존재가 된다. 소녀로의 역행involution은 여성의 잠재성이 완전히 발현된 여성-되기의 전형을 보여준 것으로 해석될 수 있다.

이러한 동물-되기와 여성-되기는 개체의 변화에 그치지 않고 더 나아가 리좀을 이루는 것으로 발전한다. 리좀은 "땅 밑 줄기의 다른 말로 뿌리나 수염뿌리와 완전히 다르다. 구근이나 덩이줄기"(들뢰즈 · 가타리 18)를 말한다. 수목형 구조가 나무-줄기-잎-뿌리 등의 위계적 질서를 이룬다면, 리좀은 전혀 위계질서가 없는 에너지의 덩어리이다. 들뢰즈와 가타리에게 있어서 되기가 리좀인 이유에 대해 존즈는 "분류나 수목적인 체계와는 관계가 없다. 되기는 일련의 진보나 퇴보도 아니고 파생관계도 아니다. 되기는 감염이나 전염같이 어떤 속에 속하냐와 관계없이 탈주선을 따라

지나가는 것이다"(Jones 129-30)라고 말한다.

플라스의 리좀적 상상력을 잘 보여주는 시가 「버섯」이다. 버섯은 탈주한 분자적 개체가 어떤 식으로 폭발적 에너지를 보이고 리좀이라는 대안적 구조를 형성하는지 알 수 있게 해준다. 버섯이지만 여기서 버섯은 우리다. 관찰의 대상으로서의 버섯이 아니라 우리가 곧 버섯이다. 이에 대해 스콧은 "버섯을 의인화할 뿐 아니라 버섯의 관점에서 이야기한다. … 플라스가 1인칭 복수를 사용한 것은 시적인 환상이 아니라 생태학적 진실을 표현한다"(Scott 8)고 한다. 그러나 들뢰즈의 되기로 해석하자면 우리가 버섯으로 의인화하거나 그 관점에서 이야기하는 데서 그치는 것이 아니라 우리가 곧 버섯-되기에 이른 것이다. 스콧의 관점에서 높이 살 점은 플라스가 시적 상상을 버섯에 투사한 것이 아니라 버섯의 생태를 그대로 묘사하고 있다고 본 점이다. 이미 버섯-되기에 이른 우리는 버섯의 힘과 속도로 처음에는 견고한 구조에 균열을 일으킨다.

갈라진 틈을 넓히고,
구멍을 밀치며 나아간다. 우리는

이렇게 많은 우리!
이렇게 많은 우리!

Perfectly voiceless,
Widen the crannies,
Shoulder through holes. We

Little or nothing.

So many of us!
So many of us! (139)

여기서 버섯은 하나의 씨앗이 틈새에서 자라나 버섯이 된다. 견고한 절편에 균열을 일으키는 데 성공한 버섯은 다양체로 증식되어 간다.

나아가 버섯은 지상을 뒤덮어 버린다.

자신도 모르는 사이
팔꿈치로 찌르고 밀치는 놈들이다.
우리의 종족은 늘어간다.

아침이면 우리는 토양을 물려받을 것이다.
우리의 발이 문 안에 들어섰다.

Nudgers and shovers
In spite of ourselves.
Our kind multiplies,

We shall by morning
Inherit the earth.
Our foot's in the door. (130-40)

버섯은 들뢰즈가 말하는 리좀의 힘을 생생하게 보여준다. 리좀은 시작도 끝도 갖지 않고 언제나 중간을 가지며, 중간을 통해 자라고 넘쳐난다. 리좀은 n차원에서, 주체도 대상도 없이 고른 판 위에서 펼쳐질 수 있는 선형적 다양체들을 구성한다"(들뢰즈 · 가타리 47). 다양체로 증식한 버섯은 어떤 위계질서도 없다. 그것들은 모든 방향으로 뻗어가지만 언제나 중간일 뿐이다. 이러한 버섯이 지상을 점령할 때 대안적인 질서가 제시된다. 실비아 플라스는 견고한 위계질서 속에 배치된 억압적 위치에서 동물-되기와 여성-되기를 통해 그 구조를 탈주할 뿐 아니라 나아가 버섯에서 보여주듯이 탈주한 분자적 존재들이 만들어 내는 새로운 세계를 보여주고 있다.

■ 인용문헌

백금희. 「실비아 플라스의 시, 탈주와 생성의 시학」 『영어권문화연구』 10 (2017): 91-118.

들뢰즈, 질 · 펠릭스 가타리. 『천 개의 고원: 자본주의와 분열증』. 김재인 역. 서울: 새물결, 2001.

신원철. 「실비아 플라스의 죽음연습」. 『영어권문화연구』 6 (2013): 141-69.

왕철. 「실비아 플라스의 끝나지 않은 애도, 「아빠」를 중심으로」. 『영어영문학연구』 36 (2010): 93-109.

유정화. 「들뢰즈로 읽는 실비아 플라스 시」. 『현대영여영문학』 60 (2016): 153-71.

윤준. 「실비아 플라스의 『생일을 위한 시』」. 『현대영미시연구』 1 (1996): 261-84.

이미선. 「Sylvia Plath의 극적 독백과 자아 탐색」. 『현대영미어문학회 학술대회 발표논문집』 (2007): 71-77.

이정원. 「Sylvia Plath 시의 Feminist 주제 연구」. 『현대영미어문학』 9 (1992): 1-28.

조애리 · 김진옥. 「들뢰즈와 가타리의 여성-되기와 전복성」. 『페미니즘 연구』 16 (2016): 265-84.

플라스, 실비아. 『실비아 플라스 시전 집』. 박주영 역. 서울: 마음산책, 2013.

한은원. 「실비아 플라스 시에 나타난 타자성」. 『영어영문학』 51 (2005): 583-608.

Anderson, Victoria. "Death is the Dress She Wears: Plath's Grand Narrative." *Women's Studies* 36.2 (2007): 79-94.

Barreca, Regina. "Writing as Voodoo." *Death and Representation*. Eds. Sarah Webster Goodwin and Elisabeth Bronfen. Baltimore and London: Johns Hopkins UP, 1994. 174-91.

Brain, Tracy. *The Other Sylvia Plath*. Harlow, England: Pearson Education, 2001.

Britzolakis, Christina. "The Spectacle of Femininity." *Sylvia Plath and the Theatre of Mourning*. Oxford: Clarendon P, 1999. 135-56.

Fielger, J. A. "Becoming-Woman, Deleuze, Schreber and Molecular Identification." *Deleuze and Feminist Theory*. Eds. Ian Buchanman, et al. Edinburgh: Edinburgh UP, 2000.

Gifford, Terry. *Green Voices, Understanding Contemporary Nature Poetry*. Manchester, Manchester UP, 1995.

Hammer, Langdon. "Plath's Lives." *Representations* 75 (2001): 61-88.

Jones, Ruth. "Becoming-hysterical—becoming-animal—becoming-woman in The Horse Impressionists." *Journal of Visual Art Practice* 3 (2004): 123-38.

Kirsch, Adam. *The Wounded Surgeon: Confession and Transformation in Six American Poets*. New York: Norton, 2005.

Knickerbocker, Scott. ""Bodied Forth in Words", Sylvia Plath's Ecopoetics." *College Literature* 36 (2009): 1-27.

Narbeshuber, Lisa. The Poetics of Torture: the Spectacle of Sylvia Plath's Poetry. *Canadian Review of American Studies* 34 (2004): 185-203.

Park, Jooyoung. "'I Could Kill a Woman or Wound a Man': Melancholic Rage in the Poems of Sylvia Plath." *Women's Studies* 31 (2002): 467-97.

Plath, Sylvia. *Collected Poems*. London: Faber and Faber, 1981.

Rietz, John. "The Father as Muse in Sylvia Plath's Poetry." *Women's Studies* 36 (2007): 417-30.

Shulman, Ernest. "Vulnerability factors in Sylvia Plath's Suicide." *Death Studies* 22 (1998): 597-613.

Vendler, Helen. *Part of Nature, Part of Us: Modern American Poets*. Cambridge, MA: Harvard UP, 1980.

9

월트 휘트먼의 「나의 노래」와 리좀적 공동체

1. 들어가는 말

휘트먼Walt Whitman의 「나의 노래」("Song of Myself")는 제목에서 짐작할 수 있듯이 자아의 탐색이다. 그러나 이 자아는 개인의 심리적 자아에 그치지 않고 타인과 연결된 자아이며 미국 사회 전체로 확장되는 자아이다. 비평가들은 휘트먼의 끝없는 자아 탐색과 대중en Masses에 대한 관심이라는 일견 모순된 두 주제를 함께 끌어안기 위해 노력한 점을 지적해왔다. 휘트먼이 궁극적으로 도달하고자 하는 것은 모두가 평등하며 모두가 잠재성을 실현하는 공동체인데, 이것을 어떻게 자아 탐색이라는 주제와 함께 이해할 것인지가 휘트먼 비평의 핵심이었다. 한 입장은 개인 대 민주주의 사이의 긴장을 탐색하는 것이다. 프랭크Jason Frank는 이 작품의 중심에 휘트먼의 급진적인 민주주의적 사고와 극도의 개인주의적 사고의 긴장이 존재한다고 한다. 즉 휘트먼 시의 한편에는 "고립을 가져오는 개인주의"가, 다른 한편에는 "동지애"(421)가 자리 잡고 있다고 분석한다. 리드Michael D Reed는 이 둘의 긴장보다는 "카탈로그 속에 '내가' 수많은 개인과 인격을 흡수하는 가운데"(153) 자아와 동시에 통합된 대중이 창조된다고 한다. 리드와는 조금 다르게 김태윤은 자아를 전형적 미국인으로 간주함으로써 문제를 해결하려고 한다. 여기서 말하는 "나"는 휘트먼의 일상적인 개인적 자아가 아니라 극화되고 이상화된 인물로 "대표적 미국인"(56)이라고 주장한다.

그러나 휘트먼의 자아와 대중의 관계를 이해하는 데 있어서 단순히 긴장이나 통합 혹은 전형으로 보는 것을 넘어서서 자아와 대중의 연결과 그것이 지니는 의미에 관심을 두고 연구할 경우, 그동안 간과된 휘트먼의 새로운 면모를 발견할 수 있을 것이다. 특히 이 연결을 들뢰즈와 가타리Deleuze and Guattari의 리좀rhizome이라는 개념으로 이해할 때 새로운 관점에서 자아와 대중의 문제를 파악할 수 있을 것이다. 물론 그동안에도 휘트먼을 리좀과 연관해서 이해한 비평가가 없는 것은 아니다. 윌슨Williams Wilson이 리좀적 형태에 관심을 보였다면, 코어너Michelle Renae Koerner는 리좀으로 미국사회를 설명하려고 했다. 우선 윌슨은 풀잎과 소용돌이가 들뢰즈의 리좀의 형태를 띤다는 것을 밝히는 데 초점을 맞춘다. 풀잎들을 보면 각각의 풀잎이 특이성을 지닌 개체인 동시에 서로 다른 풀과 잡초로 구성된 이질적인 집합을 이루는데, 이때 집합이 통일된 단일체가 아님을 강조한다. "풀잎의 씨가 바람을 타고 숲으로, 사막으로, 해변으로, 도시 보도 틈으로 퍼져 나가는"(Wilson 8) 형태 역시 리좀의 특징을 보인다고 지적한다. 그는 또한 휘트먼의 시에 나타난 소용돌이에서 리좀의 형태를 찾기도 한다.[13] 그러나 그는 "세계의 구성은 유목적이다. 원자와 특수한 개체는 끝없이 움직인다"(Wilson 12)고 지적하는 데 그치고 리좀을 이루는 인간 공동체를 검토하거나 분석하지는 않는다. 이에 반해 코어너는 미국 사회를 리좀의 견지에서 새롭게 이해하려고 한다. 그는 미국 사회의 경련과 단편성에 초점을 맞추어[14] 『표본적인 나날』(*Specimen Days*)에 나타난 미국적인 리좀을 분석해낸다. 코어너는 주로 미국이 얼마나 단편으로 이루어져 있는지, 또 그 사회는 어떻게 발작적인 경련을 보이는지에 초점을 맞추고 있고 분석 대상 역시 『표본적인 나날』에 한정되어 있다.

이 글은 휘트먼의 「나의 노래」에 나타난 리좀을 형태적인 것에 제한하지 않고 인간이 이루는 리좀적 공동체에 초점을 맞추어 그것의 형성 원리와 정치적 의미가 무엇인지 밝히고자 한다는 점에서 새로운 시도다. 이를 위해 우선 리좀 형성의 주체인 자아의 성격을 밝히고자 한다. 이어서 이 자아가 어떻게 "변이, 팽창, 정복, 포획, 꺾꽂이"[15](들뢰즈 · 가타리 47-48)를 통해 리좀적 공동체를 형성하는지 살펴보고자 한다. 끝으로 위계와 "미리 설정된 연결"(들뢰즈 · 가타리 38)을 거부하는 탈중심적이고 탈위계적인 리좀이 어떠한 정치성을 띠며 그 의미는 무엇인지 분석하고자

13) 자신과 자신의 시를 소용돌이로 형성하면서, 휘트먼과 그의 단어들은 세계를 향해 열려있다. 음식, 태양, 사랑, 사상 등을 독특하지만 흩어진 집단—이질적 에너지의 장이자 자발적인 탈주선—으로 모은다(Wilson 19).

14) 경련은 글쓰기 못지않게 시대와 나라를 특징짓는다. 단편이 미국적인 본유 형식인 까닭은 미국 자체가 연방 국가이고 다양한 나라에서 건너온 이민족들—소수민족—로 이루어져 있기 때문이다. 분리의 위험, 전쟁의 위험이 사라지지 않는 단편의 집단을 어디서든 볼 수 있다(들뢰즈 106).

15) 리좀은 변이, 팽창, 정복, 포획, 꺾꽂이를 통해 나아간다. … 리좀은 생산되고 구성되어야 하며, 항상 분해될 수 있고 연결 접속될 수 있고 역전될 수도 있고 수정될 수 있는 지도와 관련되어 있으며, 다양한 출입구들과 관련되어 있으며 나름의 탈주선을 가지고 있다(들뢰즈 · 가타리 47-48).

한다.

2. 탈주선으로서의 자아

휘트먼의 자아는 흔히 우리가 생각하는 정체성이 아니다. 그는 "나 자신"을 원자로서 규정하며 「나의 노래」를 시작한다. "나는 나 자신을 축복하고 나 자신을 노래한다, / 내가 생각하게 되는 것을 그대도 생각하게 되리라 / 내게 속하는 모든 것은 그대에게 속한다"(I CELEBRATE myself, and sing myself, / And what I assume you shall assume, / For every atom belonging to meas good belongs to you. Section 1).[16] 이러한 휘트먼의 자아는 들뢰즈와 가타리가 말하는 자아의 개념으로 설명하면 그 성격이 더 명확하게 드러난다. 들뢰즈와 가타리는 『천 개의 고원』에서 자아를 세 종류로 분류한다. 첫째, 견고한 분할선으로 규정되는 견고한 정체성이 있다. 둘째, 균열을 가져오는 유연한 분할선에 의해 규정되는 유동적인 자아가 있고 끝으로 견고한 정체성을 완전히 거부하고 탈주하는 탈주선이 있다. 유연한 흐름인 두 번째 자아는 균열을 일으키기 시작한다. "견고한 분할선으로 둘러싸인 영토는 외관상 영원히 부서지지 않을 것처럼 보인다. 그러나 이러한 영토 속에는 견고한 분할선을 뚫고 나오려는 분자들의 움직임 내지 유연한 흐름이 있다. 이 흐름은 미시적인 균열을 가져오며 탈영토화하려는 비밀스러운 선"(들뢰즈 · 가타리 372-73)을 이룬다. 세 번째 자아인 탈주선은 이러한 비밀스러운 선이 완벽하게 탈영토화

16) 번역은 월트 휘트먼, 『풀잎』, 허현숙 역, 서울, 열린책들, 2011을 참조하고 부분적으로 수정했다.

할 때 생기는 자아이다.

우리가 관심을 갖는 것은 세 번째 자아, 즉 탈주선인 자아다. 들뢰즈와 가타리는 탈주를 영토를 떠나는 것으로 정의하는데, 이때 "영토는 단지 공간적 개념이 아니라 국가, 계급, 제도뿐만 아니라 개인 간의 관계나 느낌까지 포함하는 것이다"(조애리 · 한애경 132). 들뢰즈와 가타리에 의하면 탈주선은 단호하게 영토를 떠나 더 이상 되돌아가지 않는 선이다. 탈주선이 속한 "영토는 잡을 수 있는 곳 바깥에 있다. 영토가 상상적이기 때문이 아니라 반대로 내가 영토를 그리고 있는 중이기 때문이다"(들뢰즈 · 가타리 381). 이 글에서는 휘트먼의 자아가 탈주선의 특징을 지닌 자아라는 데서 출발해서 자아의 성격을 분석하고자 한다. 1편에서 원자임을 밝히고 여러 가지 형태를 띨 수 있다고 한 자아는 27편에 이르면, 그 구체적인 모습을 보여준다. 자아는 견고한 정체성을 완전히 거부하고 무한한 형태를 띨 수 있으며 세계와의 접촉을 통해 끊임없이 변화한다.

> 어떤 형태를 취한다는 것, 그것은 무엇인가?
> 만약 아무런 발전이 없다면 딱딱한 조가비에 싸인 대합으로 충분했을 것이다
>
> 나는 딱딱한 조가비로 싸여있지 않다.
> 나는 지나칠 때나 멈출 때나 즉각 반응하는 전도체를 가지고 있다.
>
> To be in any form, what is that?
> If nothing lay more developed the quahaug in its callous shell were enough.

Mine is no callous shell,
1 have instant conductors all over me whether 1 pass or stop,
They seize every object and lead it harmlessly through me. (Section 27)

촉각을 주로 다루는 27편에 나타난 자아는 견고한 형태가 아님을 밝히는 것으로 출발한다. "딱딱한 조가비"에 싸인 자아가 견고한 정체성을 보여준다면, "나"의 자아는 이러한 견고한 정체성을 거부하고 세계와의 교감 속에서 끊임없이 변화하는 "즉각 반응하는 전도체"다. 나의 몸은 하나의 형체가 아니라 전기의 장처럼 작동하며 다른 존재와의 접촉을 통하여 무한대로 본성을 바꾼다.

이러한 시인은 "되기의 존재이며" 동시에 "움직이는 기계"(Foster 382)가 된다. 그는 견고한 틀을 완전히 벗어나 탈주하는 영혼이 된다.

나는 깊은 숨을 들이마시며 우아하게 비상하는 영혼이 된다.
나의 길은 추로도 잴 수 없는 깊은 곳으로 나 있다.
나는 물질적이며 동시에 비물질적이다.
어떤 간수도 나를 가두어 놓을 수 없고, 어떤 법도 나를 막을 수 없다.

I fly the flight of the fluid and swallowing soul;
My course runs below the soundings of plummets.
I help myself to material and immaterial,
No guard can shut me off, no law can prevent me. (Section 33)

자아의 탈주는 높이 비상할 뿐 아니라 심해까지 가볍게 휩쓸고 움직이는 궤적을 보인다. 이때 자아의 탈주는 "어떤 간수도 나를 가두어 놓을 수 없고, 어떤 법도 나를 막을 수 없다"에서 알 수 있듯이 자신을 규정하는 영토를 완전히 거부하고 탈주한다. 그리하여 자아는 "물질적이며 동시에 비물질적" 존재가 된다. 자아는 사회적인 규범이나 제한으로부터 자유로울 뿐 아니라 자신의 육체로부터도 탈주하는 존재다.

이 시의 마지막에 이르면 자아는 위에서 말한 "물질적이며 동시에 비물질적" 존재의 의미가 무엇인지 명확한 이미지로 제시된다.

> 나는 대기처럼 떠나, 도망치는 태양을 향하여 나의 흰 머리카락을 나부낀다,
> 내 몸은 소용돌이로 쏟아지고, 레이스 조각처럼 둥둥 떠다닌다.

> I depart as air, I shake my white locks at the runaway sun,
> I effuse my flesh in eddies, and drift it in lacy jags. (Section 52)

육체를 완전히 벗어난 탈주선인 자아, 즉 "대기"이자 "소용돌이"이자 "레이스 조각"인 자아는 들뢰즈와 가타리가 말하는 이것임haecceity의 상태다. 즉 자아는 주체나 물질은 아니지만 분명히 개체성을 갖는다. "어느 계절, 어느 겨울, 어느 여름, 어느 시각, 어느 날짜 등은 사물이나 주체가 갖는 개체성과는 다르지만 나름대로 완전한, 무엇 하나 결핍된 것 없는 개체성을 갖고 있다. 이것들이 이것임이다. 여기에서 모든 것은 분자들이나 입자들 간의 운동과 정지의 관계이며, 모든 것은 변용시키고 변용되는 힘이라는 의미에서 그렇다"(들뢰즈·가타리 494). 위의 시에서 보이는 "둥둥 떠다니는" 자아는 들뢰즈가 말하는 "분자들이나 입자들 간의 운동과 정지의 관계"를 이미지의 형태로 명징하게 재현하고 있다.

이러한 탈주선이기도 한 휘트먼의 자아는 개체성을 지니지만 이 개

체성은 다수와 함께 존재하기 때문에 가능한 것이다. “나는 이미 알려진 것을 털어 버린다. … 나와 함께 모든 남자들과 여자들을 미지의 세계로 진출시킨다”(What is known I strip away. … I launch all men and women forward with me into THE UNKNOWN. Section 44). 견고한 정체성에서 탈주하는 자아는 “모든 남자들과 여자들”과 함께 탈영토화한다. 이들이 도달하는 곳은 생성 중이기 때문에 아직 정해진 것이 없는 “미지의 세계”이다. 이때 “미지의 세계”는 정해진 법과 국가장치에 의해 규정된 정주하는 삶과 대조되는 매끄러운 유목적 공간이다. 자아는 다수와 함께 탈주하는 “유목적이며 또한 민주주의적”(Frank 418) 자아가 됨으로써 자아와 대중의 긴장이나 모순이 아닌 융합을 보여준다. “나는 크다. 나는 다수를 포함한다”(I am large, I contain multitude. Section 51). 그렇다면 국가장치에 포획되지 않은 자유로운 탈주선이 어떻게 리좀적 공동체를 형성하는지 자세히 살펴보자.

3. 리좀적 공동체의 형성

구근으로 이미지화되는 리좀의 가장 큰 특징은 위계를 거부하는 것이다. “리좀은 중앙 집중화되어 있지 않고, 위계도 없고, … 조직화하는 기억이나 중앙자동장치도 없으며 오로지 상태들이 순환하고 있을 뿐인 체계다”(들뢰즈 · 가타리 47). 리좀을 좀 더 잘 이해하기 위해서는 리좀과 수목형 구조를 대조해 보면 된다. “수목형 구조는 위계적인 체계로서 의미 생성과 주체화의 중심을 포함하고 있다. 그것은 조직화된 기억 같은 중앙자동장치를 가지고 있다. 이런 까닭에 수목형 구조 모델 안에 있는 하나의 요소는 상위의 통일성으로부터만 정보를 받아들이며, 이미 설정된 연결들을 통해서만 주체의 직무를 받아들인다"(들뢰즈 · 가타리 38). 수목형 구조에서 자아는 상부에 위치한 중심으로부터 전달받은 직무를 행하고 따라서 늘 중심에 종속되어 있다. 이와 대조적으로 리좀에서는 첫째 완벽하게 위계를 거부하는 연결 접속의 원리가 작동한다. 위계적인 전달체계인 수목형 구조와는 달리 "리좀의 어떤 지점이건 다른 어떤 지점과 연결 접속될 수 있고 또 연결 접속되어야만 한다. … 리좀에서는 온갖 기호계적 사슬들이 생물학적, 정치적, 경제적 사슬 등 매우 잡다한 코드화 양태들에 연결 접속"한다(들뢰즈 · 가타리 19). 둘째, "탈주선 또는 탈영토화 선에 의해 정의"되는 다양체들은 "다른 다양체들과 연결 접속하면서 본성상의 변화를 겪는다"(들뢰즈 · 가타리 22). 이때 자아는 위계적으로 조직된 직무를 행하는 것이 아니라 오히려 연결 접속하여 리좀을 형성해가는 과정에서 본성이 변화된다.

「나의 노래」 15편에는 75명의 다양한 활동을 하는 사람들이 열거된다. 이때 열거는 단순한 관찰의 결과가 아니다. 이들은 나와 끝없이 연결 접속되며 리좀을 형성하고 나를 변화시킨다. 처음에는 주로 직업과 관련된 다양한 활동이 카탈로그로 열거되는데, 이 카탈로그는 단순한 나열이 아니라 서로 얽힌 리좀을 이룬다. 알토 가수, 목수, 항해사, 선원, 오리 사냥꾼, 집사, 농부가 열거되어 등장하는데, 이들 사이에는 어떤 위계도 존재하지 않고 동등한 자격으로 연결 접속해 리좀적 공동체가 형성된다. 이어서 직업에 의한 분류가 아니라 주로 사회적 약자, 즉 소수자들이 열거된다.

정신병자는 확진되어 마침내 정신병원으로 실려 간다.
(그는 더 이상 어머니 침실의 아기침대에서처럼 잠들지 못하리라) …
기형의 사지는 해부학자의 테이블에 묶인다.
제거된 것은 끔찍하게도 통 속으로 떨어진다.
혼혈 흑인 소녀는 가판대에서 팔려 가고
주정뱅이는 술집 난로 옆에서 꾸벅댄다.

The lunatic is carried at last to the asylum a confirm'd case,
(He will never sleep any more as he did in the cot in his mother's bed-room;) …
The malform'd limbs are tied to the surgeon's table,
What is removed drops horribly in a pail;
The quadroon girl is sold at the auction-stand, the drunkard nods by the bar-room stove, (Section 15)

휘트먼은 "정신병자"와 "혼혈 소녀"를 묘사하는데, 이들은 사회적으로 소수자지만 앞에서 말한 다양한 직업군의 사람들과 동등하게 연결 접속될 뿐 아니라 이어서 젊은이, 개혁가, 인디언 여자, 아내, 양키소녀, 임산부, 어린아이 등 다양한 사람들과 연결된다. 끝으로 하얀 드레스를 입은 신부에 이어 등장하는 신부와 대조적인 매춘여성은 "정신병자"나 "혼혈 소녀"와 같은 소수자로 위계적 사회의 최하층에서 멸시당하는 존재다.

창녀는 숄을 질질 끌고, 그녀의 리본 달린 모자는 비틀거리는 여드름투성이 목에서 까딱거린다.
군중은 그녀의 상스러운 욕지거리에 웃음을 터트린다. 남자들은 비아냥거리고 서로 눈짓을 한다

(비참하다! 나는 너의 욕지거리에 웃지도 않고 너를 비웃지도 않는다.)

The prostitute draggles her shawl, her bonnet bobs on her tipsy and pimpled neck,
The crowd laugh at her blackguard oaths, the men jeer and wink to each other,
(Miserable! I do not laugh at your oaths nor jeer you;). (Section 15)

나무체계의 가장 하층에 자리 잡은 매춘여성을 보고 다른 사람들은 쉽사리 "웃고", "비아냥거리고 눈짓을 한다." 그러나 휘트먼에게는 매춘여성이 비웃음이나 조롱의 대상이 아니다. 그에게는 "비참한" 이들 역시 다른 자아와 동등하게 연결 접속되는 리좀적 공동체의 일원이다.

15편의 카탈로그에서 매춘여성 다음에 등장하는 인물이 대통령인 것은 흥미롭다. 휘트먼은 이미 앞에서 여러 직업군을 열거했는데, 대통령은 그들 중 한 명일 뿐이다. "대통령은 내각회의를 연다. 그는 훌륭한 장관들에게 둘러싸여 있다"(The President holding a cabinet council is surrounded by the great Secretaries). 다음에 생선 냄새를 풍기는 선원들, 밭을 지나가는 미주리주 주민, 요금징수원, 마루를 까는 인부, 함석공, 벽돌공이 열거된다. 이런 열거로 인해서 미국 대통령은 위계적 질서의 정점에서 지배하는 위치가 아니라 다양한 직업 중 하나가 되어버린다. 휘트먼이 보여주는 이 공동체는 대통령이 정점이 되는 국가장치와는 완전히 다른 매끈한 유목적 공간이다. 자아와 자아의 연결 접속으로 전혀 위계적이지 않고 구근처럼 서로의 에너지가 얽혀 있는 상태인 것이다.

그리고 이 모든 것이 나를 향해 오고, 나는 그들을 향해 간다.
그리고 그와 같은 것이 다소간 현재의 나인 것이다.
그리고 이 모두에서 나는 나의 노래를 직조한다.

And these tend inward to me, and I tend outward to them,
And such as it is to be these more or less I am.
And of these one and all I weave the song of myself. (Section 15)

대중은 나의 내면에 스며들고 나는 대중에게로 향한다. 여기서 나와 카탈로그에 나열된 대중은 긴장된, 혹은 모순된 관계가 아니다. 이것은 휘트먼이 『표본적인 나날』에서 삶의 원리라고 말하는 것이 정확하게 일치한다. “산다는 것은 다른 다양한 존재와 하나가 되는 것, 만나서 융합하는 것, 서로를 흡수하는 것”(Whitman 1963, 95)이다. 이러한 리좀의 연결 접속은 자아가 해체되고 서로 변용시킨다는 점에서 베네트Jane Bennett의 지적대로 “에로틱한 공감”(614)에 가깝다. 이런 카탈로그에 대해서 차이를 인정하지 않고 단일한 통합체를 구성한다고 비판하는 비평가들이 있다. 디목Wai chee Dimock은 휘트먼의 카탈로그가 사물 간의 차이를 훼손한다고 한다. 이것은 화자의 “구문론적 독재 … 일종의 인식론적 폭력”(118-19, Cull 4에서 재인용)이라고 한다. 리드는 모든 것이, 즉 선과 악 그리고 미와 추가 1인칭 페르소나에 흡수된다고 한다. 모든 사물과 사람이 휘트먼이 『나 자신의 노래』의 나라는 단일한 전체 안에서 결합된다고 비판한다(Reed 151-52).

카탈로그의 해석에 있어서 디목이나 리드의 견해보다는 들뢰즈적인 관점을 받아들인 코어너의 주장이 더 설득력을 갖는다. 그는 휘트먼이 카탈로그를 통해 유기적인 전체가 아니라 반대로 “이접적 통합”을 구성한다고 본다. 카탈로그의 "그리고"는 "특정한 관계나 연결이 아니고 모든 관계, 모든 관계의 통로의 경계를 이룬다. 관계가 일자나 전체에서 벗어나는 것이다. 다양성은 '그리고'에만 있다. 이원론에서 이탈하여 사람, 동물, 기계, 사건을 결합시키려는 열정은 이접적 통합으로 읽힐 수 있다. 이것은 횡단성의 실천으로서, 차이를 가로질러서 관계를 정립하는 하나의 방식"(91-92)이다. 이처럼 휘트먼은 카탈로그 안에 이미지들을 쌓는 가운데 단일한 통합체를 형성하는 것이 아니라 "나 자신"을 창조하는 동시에 "대중"이 된다. 이렇게 연결 접속을 통해 리좀적 공동체를 구성한 자아는 그 과정에서 어떠한 본성의 변화를 겪으며 그것이 지니는 정치적 의미는 무엇인지 살펴보자.

4. 리좀적 공동체와 정치성

리좀에서는 작은 디테일이 점점 커지는데, 이때 연결 접속을 통해 디테일이 무한증식만 하는 것은 아니다. 탈주선인 자아가 탈영토화여 리좀을 이룬다고 할 때 그것은 다수성으로부터 탈주하는 것, 소수자-되기에 이른다는 의미이다. "휘트먼의 경우 소수자-되기는 개인적인 존재론적 차원을 넘어서서 새로운 관계의 배치"(조애리 · 유정화 263)를 뜻한다. 소수자-되기는 "정치적인 일이며 … 능동적인 미시정치학에 호소한다"(들뢰즈 · 가타리 592). 그는 15편의 매춘여성이 나오는 장면에서 이미 "(비참하다! 나는 너의 욕지거리에 웃지도 않으며 너를 비웃지도 않는다)"라고 강력한 공감을 보였는데, 이제 더 나아가 견고한 자아에서 탈주하여 "가장 약하고 가장 비천한 사람들" 되기를 보여준다.

나는 그들이 누구인지 알고 있다, (벌레나 벼룩이 아닌 것은 확실하다)
나 자신의 복사본인 가장 약하고 가장 비천한 사람들은
영원불멸이고 나도 그러리라는 것을 인정한다.
내 행동 그리고 내 말과 똑같은 것이 그들을 기다린다.
내 안에서 버둥거리던 모든 생각과 똑같은 것이 그들 안에서 버둥거린다.

I am aware who they are, (they are positively not worms or fleas,)
I acknowledge the duplicates of myself, the weakest and
shallowest is deathless with me,
What I do and say the same waits for them,
Every thought that flounders in me the same flounders in them.
(Section 42)

그는 "가장 약하고 가장 비천한 사람들"이 곧 "나 자신의 복사본"이라고 한다. 자신은 곧 그들이 되고 역으로 그들은 자신이 되는 결연을 형성한다.[17] 이때 나 자신과 "가장 약하고 가장 비천한 사람들" 차이가 제거된 단일한 통합체가 형성되는 것이 아니고, 결연이라는 새로운 배치가 창조된다. 나는 나 자신에서 탈주하여 그들이 되지만 "가장 약하고 가장 비천한 사람들"은 나와 "똑같은" 행동, "똑같은" 말, "똑같은" 생각을 하며 나 자신이 된다. 두 사람 모두에게서 탈영토화가 진행되며 그것은 들뢰즈가 말하는 결연, 이질적 존재의 감응을 잘 보여준다.[18]

---

17) 워즈워스가 "하층민의 소박한 삶을 시의 제재로 사용하여 당대의 독서 대중을 올바르게 인도하겠다"(최동오 154)는 계획을 가지고 있었다면, 휘트먼은 여기서 한 걸음 더 나아가고 있다.

18) 결연은 "혈통이나 계통에 의한 진화"가 아니라 공생이다. "말벌은 해방되어 서양란의 생식기가 되고 서양란도 자신의 생식에서 해방되어 말벌의 오르가슴의 대상

휘트먼은 또한 고통을 매개로 죄수와 접속하고 죄수-되기가 되며, 이때 나 자신의 본성도 변화한다.

나는 범법자나 고통당하는 모든 존재를 체현하고 있다.
다른 사람과 같은 모습으로 감옥에 있는 나 자신을 보고
끝없이 지속되는 둔중한 고통을 느낀다.
나를 감시하러 간수들이 소총을 어깨에 메고 경비를 선다.
아침에는 나가지만 밤에는 창살 속에 갇혀 있는 사람이 바로 나다.

Embody all presences outlaw'd or suffering,
See myself in prison shaped like another man,
And feel the dull unintermitted pain.
For me the keepers of convicts shoulder their carbines and keep watch,
It is I let out in the morning and barr
'd at night. (Section 37)

죄수의 고통은 동정의 대상이 아니라 나의 고통이다. 휘트먼 자신이 곧 죄수다. 그는 자신이 "아침에는 나가지만 밤에는 창살 속에 갇혀 있는" 죄수라고 하면서 죄수와 같은 속도와 같은 동작을 보여준다. 1편에서의 선언과 같이 이러한 본성의 변화는 나와 죄수 사이에서만 일어나는 것이 아니다. 휘트먼은 독자 역시 소수자-되기에 초대한다. "내가 생각하는 것을 그대도 생각할 것이다"(Section 1)라는 선언대로 휘트먼은 독자와의 연결 접속을 통하여 미래에도 그러한 리좀적 공동체가 계속 생겨날 것임

이 된다는 점에서 말벌과 서양란에 공통적인 탈영토화가 생산된다"(들뢰즈 · 가타리 555).

을 확신한다.

1850년대의 사회・정치적 위기에서 가장 중요한 문제는 노예제였다. 이 시기는 광범위한 부패, 빈부격차의 심화, 이민 증가와 반이민 정서가 있었지만 이 모든 것을 압도하는 것은 남부의 노예제 확대였다. 1850년 도망노예법Fugitive Slave Law이 의회를 통과하자 남부의 노예 사냥꾼들이 북부까지 와 노예사냥에 나섰다. 1850년대의 위기는 여러 작가들에게 정치의 위기이자 의미의 위기로 인식되었다. 예를 들어, 에머슨은 "언어가 보편적인 의미를 잃었다. 대의 정부가 진정으로 대의를 대표하지 못하고 있다. … 추악한 것에 자유나 민주주의라는 아름다운 이름이 부쳐졌다. … 그들은 그것을 기사도와 자유라고 부른다. 나는 그것을 빈민과 빈민의 어린 자식들의 돈을 훔치는 것이라고 부른다"(Frank 409에서 재인용). 당대의 대표적인 작가들과 마찬가지로 휘트먼 역시 노예제를 당대의 핵심적인 문제로 생각했을 뿐 아니라 더 나아가 스스로가 도망 노예-되기에 이른다.

"가장 약하고 가장 비천한 자"가 되는 소수자-되기를 가장 첨예하게 드러내는 것은 노예-되기다. 그는 10편에서 도망 노예를 숨겨주는데, 이때는 당대 지식인들과 다를 바 없이 정의의 이름으로 노예에게 다가간다.

도망친 노예가 내 집으로 찾아와 집 밖에 멈춰 섰다,
그가 움직일 때마다 장작더미에서 잔가지들이 탁탁 소리를 냈다,
반쯤 열린 부엌문 사이로 나는 절름거리는 쇠약한 그를 보았다,
그리고 나는 나무둥치에 앉아 있는 그에게 가서 그를 집 안으로 들이고 마음을 달랬다,
그리고 물을 주고 땀 흘린 몸과 상처 입은 발을 닦도록 물을 받았다,
그리고 내 방과 통하는 방을 그에게 내주고 깨끗한 두툼한 옷을 주었다,
또한 나는 휘둥그레 둘러보던 그의 눈과 그의 어색한 태도를 빠짐없이 기

억한다,
그의 목과 발목의 상처에 반창고를 붙여준 것을 기억한다,
그는 나와 일주일을 머물다 몸이 회복되자 북으로 향했다.

The runaway slave came to my house and stopt outside,
I heard his motions crackling the twigs of the woodpile,
Through the swung half-door of the kitchen I saw him limpsy and weak,
And went where he sat on a log and led him in and assured him,
And brought water and filfd a tub for his sweated body and bruis'd feet,
And gave him a room that enter'd from my own, and gave him some coarse clean clothes,
And remember perfectly well his revolving eyes and his awkwardness,
And remember putting plasters on the galls of his neck and ankles;
He staid with me a week before he was recuperated and pass'd north. (Section 10)

이때 그와 노예의 관계는 환대하는 주인과 손님이다. 그는 "절름거리는 쇠약한" 도망 노예를 보자 일단은 그를 안심시킨 후 자신의 집으로 데려와 목욕을 시키고 "깨끗한 두툼한 옷"을 주고 "목과 발목의 상처에 반창고를 붙여주며" 그를 간호한다. 도망 노예는 일주일간 그의 집에 머문 후 완전히 회복되어 다시 북부로 떠난다. 그의 친절에도 불구하고 그의 시점은 관찰자 시점이며 아직 도망 노예에 대한 공감의 수준에 머물러 있다.

그러나 33편에 이르면 나는 더 이상 공감하는 관찰자가 아니다. 견고한 정체성에서 완전히 탈주한 나는 곧 도망 노예라는 소수자-되기에 이

른다.[19)]

나는 개에게 쫓기는 노예이고, 개에 물려 움츠린다,
극심한 절망감이 엄습하고, 사수의 방아쇠 당기는 소리는 끝이 없다,
나는 담장의 난간을 움켜쥐고, 엉겨 붙은 핏덩이는 땀과 뒤엉켜 묽어져 조금씩 흘러내린다,
나는 잡초와 돌 위로 쓰러진다,
추적자들은 제멋대로 하는 말에 박차를 가하며 바짝 잡아당긴다,
나의 멍한 귀를 조롱하며 채찍 손잡이로 머리를 사납게 후려친다.
나는 옷을 갈아입듯이 고뇌를 입는다,
나는 상처받은 자에게 어떠냐고 묻지 않는다, 내가 곧 상처받은 자가 된다,
지팡이에 기대선 채 보고 있는 동안 내 상처는 납빛으로 변한다.

I am the hounded slave, I wince at the bite of the dogs,
Hell and despair are upon me, crack and again crack the marks-men,
I clutch the rails of the fence, my gore dribs, thinn'd with the ooze of my skin,
I fall on the weeds and stones,
The riders spur their unwilling horses, haul close,
Taunt my dizzy ears and beat me violently over the head with whip-stocks.
Agonies are one of my changes of garments,

19) 빅토리아시대 영국의 진보적인 시인인 포레스터의 시조차도 "노동자 계층의 삶에 대한 동정심과 산업화가 인간 삶에 초래한 변화에 대한 비판적 시각"(송기호 74)을 강조한 데 비해 휘트먼은 여기서 더 나아가 소수자-되기를 통한 자신의 본성 변화를 강조한다.

I do not ask the wounded person how he feels, I myself become the wounded person,
My hurts turn livid upon me as I lean on a cane and observe.
(Section 33)

여기서 "내가 상처받은 자"가 되는 과정이 매우 감각적으로 제시된다. "나"는 노예의 공포와 절망에 신체적으로 감응하며 노예가 채찍을 맞은 채 도망칠 때 느끼는 고통을 똑같은 강도로 느낀다. 시각적 이미지는 배제한 채 주로 촉각과 청각을 통해 전달되는 고통에는 즉각적인 직접성이 고스란히 담겨있다. 그러나 이러한 감응은 동일시와도 다른 것이다. 나는 "지팡이에 기대서서 보고" 있으며, 따라서 "나"는 "나도 아니고 노예도 아닌 중간지대, 즉 되기가 일어나는 근방역대인 식별 불가능한 지대에 있다"(조애리 · 유정화 264). 들뢰즈에 의하면 이 중간지대가 리좀이 형성되는 지대이다. "리좀은 언제나 중간에 있으며 사물들 사이-존재이고 간주곡 사이에 있다"(들뢰즈 · 가타리 54-55). 나는 소수자인 도망 노예가 되고 나와 도망 노예 사이의 결연에 기초한 리좀적 공동체가 형성된다. 즉 "상처받은 자"와 나의 결연, 즉 내가 "상처받은 자"가 되고 "상처받은 자"가 내가 되는 새로운 관계가 생겨난다. 이 두 자아는 구근처럼 서로의 에너지가 얽히고 서로 변화하여 리좀적 공동체를 형성하는 것이다.

이러한 리좀적 공동체는 시간과 공간의 제약을 받지 않고 확대되어 나간다.

그러자 홀연히 내 주위에는 세상의 모든 논쟁을 초월하는 평화와 지식이 퍼져 나갔지,
그리고 나는 지금 안다네, 신의 손길은 내 약속임을,

그리고 나는 지금 안다네, 신의 마음은 내 형제임을,
그리고 이 세상에 태어난 모든 이들은 역시 나의 형제이며, 여인들은 나의 누이요 연인임을

Swiftly arose and spread around me the peace and knowledge that pass all the argument of the earth,
And I know that the hand of God is the promise of my own,
And I know that the spirit of God is the brother of my own,
And that all the men ever bom are also my brothers, and the women my sisters and lovers. (Section 5)

이 부분 직전에 휘트먼은 영혼과 육체의 결합을 에로틱하게 표현하고 있다. 육체와 영혼이 합일된 개인은 "세상의 모든 논쟁을 초월하는 평화와 지식"을 지니게 되지만 휘트먼은 이러한 개인의 완성에 만족하지 않는다. 휘트먼에게 개인의 완성은 신을 매개로 하여 리좀적 공동체로 확대되는 궤적을 보인다. "신의 손길은 내 약속임을", "신의 마음은 내 형제임을"은 신으로 향하는 초월을 뜻하는 것이 아니다. 오히려 모두가 "나의 형제"고 "누이"라는, 또 "연인"이라는 지상의 공동체의 출발점이다. 여기서 "신의 손길"이기도 한 "내 약속"은 당장은 지켜지지 않더라도 언젠가는 꼭 지켜지며 형제애에 기반한 리좀적 공동체는 끊임없이 생겨난다는 휘트먼의 믿음이 강하게 드러난다. "하나의 리좀은 어떤 곳에서든 끊어지거나 깨질 수 있다. 자신의 특정한 선들을 따라 혹은 다른 새로운 선들을 따라 개미떼를 죽여도 계속 나오는 이유는 그놈들이 가장 큰 부분이 파괴되더라도 끊임없이 복구될 수 있는 동물 리좀을 형성하기 때문이다"(들뢰즈 · 가타리 24).

개미 떼처럼 끝없이 복구될 리좀적 공동체는 아래와 같이 독자와 시인의 결연으로 완성된다.

> 나는 내가 사랑하는 풀에서 자라도록 나 자신을 흙에 맡긴다,
> 그대가 나를 다시 보고 싶거든 그대의 구두창 밑에서 나를 찾아라,
> 내가 누구이며 무슨 말을 하는지 그대는 잘 모르겠지만,
> 나는 그대에게 좋은 건강이 될 것이고,
> 그대의 피를 걸러서 더 콸콸 흐르게 해줄 것이다
>
> I bequeath myself to the dirt to grow from the grass I love,
> If you want me again look for me under your boot-soles.
> You will hardly know who I am or what I mean,
> But I shall be good health to you nevertheless,
> And filter and fibre your blood. (Section 52)

미래에 올 "그대"가 휘트먼 자신이 이룬 리좀적 공동체의 복구를 보게 될 것이라는 선언으로 이 시는 끝난다. 내가 그대를 "건강"하게 해준다는 것은 시공을 넘어서 그대와 나의 결연이 이루어질 것이며, 그대로 인해서 휘트먼이 창조한 리좀적 공동체가 더 강력한 형태로 복구되리라는 뜻이다. 이 리좀은 진화하거나 단선적으로 발전하는 것이 아니다. "그러나 나는 시작과 끝에 대해서 말하지 않는다"(But I do not talk of the beginning or the end. Section 3)라는 선언처럼 이 리좀적 공동체는 간헐적으로 반복될 것이다. 그것은 언제든 단절되거나 파괴될 수 있지만 늘 새롭게 복구될 것이다. 이처럼 리좀은 "항상 분해될 수 있고 연결 접속될 수 있고 역전될 수도 있고 수정될 수 있다"(들뢰즈 · 가타리 47-48). 휘트

먼이 우리에게 제시하는 것은 언제든 그가 독자인 우리와 만나서 창조할 수 있는 확산적인 리좀적 공동체이다.

5. 나가는 말

이 논문의 출발점은 「나의 노래」의 주제인 자아와 대중이 어떻게 연결되는지이다. 기존의 논의가 이 둘의 긴장이나 통합에 집중되어 있던 데 반해, 여기서는 자아의 노래가 어떻게 대중의 노래, 민주주의의 노래가 되는지, 그 과정과 의미를 밝히고자 했다. 이를 위해 들뢰즈의 리좀이란 개념틀을 사용했으며 기존의 리좀 논의와는 달리 리좀적 공동체에 초점을 맞추었다. 휘트먼 스스로가 자신의 작품이 "동지애로 / 신성하고 매력적인 땅으로 만들라"(Make divine magnetic lands / With the love of comrades Whitman 1963, 104)에 기여하기를 원했다. 이때 동지란 "철학적 전체주의라든가 정치적 전체주의 아니라 일종의 연합"(들뢰즈 111), 즉 리좀적 공동체를 이루는 대중이다.

이를 위해 이 글에서는 우선 휘트먼의 자아가 견고한 정체성이 아니라 탈주선임을 밝혔다. 휘트먼 스스로 자아를 "원자"라고 하는데, 이는 들뢰즈가 말하는 분자적 자아와 같은 것이다. 분자적 자아의 큰 특징은 기존의 견고한 영토를 떠나 탈주하는 것인데, 휘트먼의 자아는 이러한 특징을 명징하게 보여주고 있다. 둘째, 이 자아의 탈주가 다른 자아와 어떤 식으로 연결 접속하여 리좀적 공동체를 이루는지, 즉 어떻게 휘트먼이 말하는 "동지"가 되는지 살펴보았다. 이때 자아들 간의 관계는 단순한 집합이 아니라 "관련된 단편들의 내면성에 따라 이루어진 가장 높은 수준의 인간

관계"(들뢰즈 110)를 가리킨다. 끝으로, 이렇게 이루어진 리좀적 공동체가 지니는 정치적 의미를 평가했다. 휘트먼에게 동지애는 "가장 약한 자, 가장 비천한 자"와의 연대, 즉 소수자-되기를 뜻한다. 들뢰즈의 표현대로 "전체에 뒤섞이지 않지만 그러한 상황에서 인간이 획득할 수 있는 단 하나의 전체를 생산하는 가변적인 관계의 모임"인 동지애는 "가변성이며 밖과의 만남, 야외의 대로상의 영혼들이 가는 길을 함의한다"(들뢰즈 110).

이 시가 보여주는 민주적인 리좀적 공동체는 휘트먼 당대의 이상인 동시에 시간과 공간 너머로 확산된다. "내가 사랑하는 풀에서 자라도록 나 자신을 흙에 맡긴다"(Section 52)라는 자신의 말대로, 휘트먼이 만드는 리좀적 공동체는 파괴되더라도 끊임없이 복구된다. 소수자, 즉 도망 노예나 매춘여성 같은 "가장 약하고 비천한 자"와 연결 접속한 리좀적 공동체가 역사의 어느 시점에서 파괴된다고 해도 휘트먼은 그 공동체가 독자인 "그대"와의 연결 접속을 통해 복구되리라는 것을 확신한다.

■ 인용문헌

김태윤. 「"Song of Myself"에 나타난 자아추구」. 『새한영어영문학』 (1996): 51-69.

들뢰즈, 질. 『비평과 진단』. 김현수 역. 고양: 인간사랑, 2000.

________ · 펠릭스 가타리. 『천 개의 고원: 자본주의와 분열증』. 김재인 역. 서울: 새물결, 2001.

송기호. 「포레스터, 어긋난 자리에서 시 쓰기」. 『현대영어영문학』 63.1 (2019): 69-87.

조애리 · 유정화. 「들뢰즈의 소수자-되기와 문학」. 『현상과 인식』 40 (2016): 251-71.

____ · 한애경. 「『위대한 개츠비』와 「파열」에 나타난 들뢰즈적 탈주선」. 『신영어영문학』 53 (2012): 129-47.

최동오. 「워즈워스와 생태비평」. 『현대영어영문학』 63.2 (2019): 153-69.

휘트먼, 월트. 『풀잎』. 허현숙 역. 서울: 열린책들, 2011.

Bennett, Jane. "Whitman's Sympathies." *Political Research Quarterly* 69 (2016): 607-20.

Cull, Ryan. "'We fathom you not—we love you': Walt Whitman's Social Ontology and Radical Democracy." *Criticism* 56 (2014): 761-80.

Dimock, Wai Chee. *Residues of Justice: Literature, Law, Philosophy*. Berkeley: U of California P, 1996.

Foster, Steven. "Bergson's 'Intuition' and Whitman's 'Song of Myself'." *Texas Studies in Literature and Language* 6 (1964): 376-37.

Frank, Jason. "Walt Whitman and the Poetry of the People." *The Review of Politics* 69 (2007): 402-30.

Koerner, Michelle Renae. *The Uses of Literature: Gilles Deleuze's American Rhizome*. Ph. d. Diss. Duke U, 2010.

Reed, Michael D. "First Person Persona and the Catalogue in 'Song of Myself'." *Walt Whitman Review* 23 (1977): 147-55.

Whitman, Walt. *Leaves of Grass* (1891-2 edition). Ed. J. M. Beach. Austin, TX: West by Southwest, 2012.

____________. *Prose Works 1892, Volume I: Specimen Days*. Ed. Floyd Stovall. New York: New York UP, 1963.

Wilson, Williams. "Whitman's Rhizomes." *Arizona Quarterly* 55 (1999): 1-21.

지은이 조애리

서울대 영문과에서 학사, 석사, 박사학위를 받고, 현재 카이스트 인문사회과학부 교수로 재직 중이다. 저서로는 『페미니즘과 소설 읽기』(공저), 『성 · 역사 · 소설』, 『역사 속의 영미소설』, 『19세기 영미소설과 젠더』가 있고 역서로는 『제인 에어』, 『빌레뜨』, 『설득』, 『밝은 모퉁이 집』, 『민들레 와인』, 『달빛 속을 걷다』, 『시민불복종』 등 문학 작품과 『여성의 몸 어떻게 읽을 것인가?』(공역), 『문화코드 어떻게 읽을 것인가?』(공역), 『젠더란 무엇인가』(공역), 『대중문화는 어떻게 여성을 만드는가』(공역) 등의 이론서가 있다.

되기와 향유의 문학

발행일 • 2021년 11월 19일
지은이 • 조애리
발행인 • 이성모 / 발행처 • 도서출판 동인 / 등록 • 제1-1599호
주소 • 서울시 종로구 혜화로3길 5 118호
TEL • (02) 765-7145, 55 / FAX • (02) 765-7165 / E-mail • dongin60@chol.com
Homepage • donginbook.co.kr

ISBN 978-89-5506-849-8
정가 18,000원